걸프 사태

전후복구사업
참여 2

걸프 사태

전후복구사업
참여 2

| 머리말

걸프 전쟁은 미국의 주도하에 34개국 연합군 병력이 수행한 전쟁으로, 1990년 8월 이라크의 쿠웨이트 침공 및 합병에 반대하며 발발했다. 미국은 초기부터 파병 외교에 나섰고, 1990년 9월 서울 등에 고위 관리를 파견하며 한국의 동참을 요청했다. 88올림픽 이후 동구권 국교 수립과 유엔 가입 추진 등 적극적인 외교 활동을 펼치는 당시 한국에 있어 이는 미국과 국제사회의 지지를 얻기 위해서라도 피할 수 없는 일이었다. 결국 정부는 91년 1월부터 약 3개월에 걸쳐 국군의료지원단과 공군수송단을 사우디아라비아 및 아랍 에미리트 연합 등에 파병하였고, 군·민간 의료 활동, 병력 수송 임무를 수행했다. 동시에 당시 걸프 지역 8개국에 살던 5천여 명의 교민에게 방독면 등 물자를 제공하고, 특별기 파견 등으로 비상시 대피할 수 있도록 지원했다. 비록 전쟁 부담금과 유가 상승 등 어려움도 있었지만, 걸프전 파병과 군사 외교를 통해 한국은 유엔 가입에 박차를 가할 수 있었고 미국 등 선진 우방국, 아랍권 국가 등과 밀접한 외교 관계를 유지하며 여러 국익을 창출할 수 있었다.

본 총서는 외교부에서 작성하여 30여 년간 유지한 걸프 사태 관련 자료를 담고 있다. 미국을 비롯한 여러 국가와의 군사 외교 과정, 일일 보고 자료와 기타 정부의 대응 및 조치, 재외동포 철수와 보호, 의료지원단과 수송단 파견 및 지원 과정, 유엔을 포함해 세계 각국에서 수집한 관련 동향 자료, 주변국 지원과 전후복구사업 참여 등 총 48권으로 구성되었다. 전체 분량은 약 2만 4천여 쪽에 이른다.

2024년 3월

한국학술정보(주)

| 일러두기

· 본 총서에 실린 자료는 2022년 4월과 2023년 4월에 각각 공개한 외교문서 4,827권, 76만 여 쪽 가운데 일부를 발췌한 것이다.

· 각 권의 제목과 순서는 공개된 원본을 최대한 반영하였으나, 주제에 따라 일부는 적절히 변경하였다.

· 원본 자료는 A4 판형에 맞게 축소하거나 원본 비율을 유지한 채 A4 페이지 안에 삽입 하였다. 또한 현재 시점에선 공개되지 않아 '공란'이란 표기만 있는 페이지 역시 그대로 실었다.

· 외교부가 공개한 문서 각 권의 첫 페이지에는 '정리 보존 문서 목록'이란 이름으로 기록물 종류, 일자, 명칭, 간단한 내용 등의 정보가 수록되어 있으며, 이를 기준으로 0001번부터 번호가 매겨져 있다. 이는 삭제하지 않고 총서에 그대로 수록하였다.

· 보고서 내용에 관한 더 자세한 정보가 필요하다면, 외교부가 온라인상에 제공하는 『대한 민국 외교사료요약집』 1991년과 1992년 자료를 참조할 수 있다.

| 차례

머리말 4

일러두기 5

걸프사태 : 전후복구사업 참여, 1991-92. 전6권 (V.5 1991.4-12월) 7

걸프사태 : 전후복구사업 참여, 1991-92. 전6권 (V.6 1992) 199

정 리 보 존 문 서 목 록

기록물종류	일반공문서철	등록번호	2021010220	등록일자	2021-01-28
분류번호	760.1	국가코드	XF	보존기간	영구
명 칭	걸프사태 : 전후복구사업 참여, 1991-92. 전6권				
생 산 과	중동1과/경제협력2과	생산년도	1991~1992	담당그룹	
권 차 명	V.5 1991.4-12월				
내용목차					

0001

공　　　란

공 란

외   무   부

원   본

종   별 :

번   호 : KUW-0105   일   시 : 91 0405 1100

수   신 : 장관(중동일,기정),사본:건설부장관

발   신 : 주쿠웨이트대사

제   목 : COE 면담

    본직은 4.3. COE쿠웨이트 사무소 VAN WOOD부소장을 면담,쿠웨이트 복구공사 전반에 관하여 의견 교환함.동 요지는 아래와 같음.

    1.WOOD 부소장 설명요지

    가.약 250개소의 정부,공공분야 건물을 조사했으며, 조사한 건물중 약 5프로는피해가없었으며, 15프로는 신축이 필요하고, 10프로는 절반정도가 파괴되었고, 70프로는 내부수리및 일부 개축 필요. 이외에 약 500개 학교건물이 부분적으로 큰 수리를 해야 될것으로 알고 있음.

    나.도로와 교량은 일부 파손된 곳이 있으나,전반적으로 큰 수리공사가 필요치 않은 상태.

    다.전기 배전시설이 큰 피해를 입었는데, 40대정도의 배전소가 완전 파괴되어 현재 전기공급은 중간 과정없이 발전소에서 직접 수용가에 연결공급되고 있어 안전을위해 배전선과 변전소들의 복구공사가 시급하며 이 부분에 큰 공사가많을것임.

    라.3개월 긴급복구와 관련, 현재까지 COE가계약을 체결한 공사는 6건으로 미국회사 3, 영국1, 사우디 1,쿠웨이트 1개사가 시공중임.(총 계약고4,500만불). 제2차분공사예산 총액은 5,500만불인데 아직 쿠웨이트 정부로부터 예산배정을 받지 못했으며, 입찰방법에 대한 지시도 아직 없음.

    마.군사기지, 그중에도 공군기지는 많이 파괴되어 큰 공사가 필요할것으로 보이며, 동 공사는 쿠웨이트국방부가 결정, 발주케 될것임.

    2.관찰

    COE 당국자나 쿠웨이트 정부 당국자의 말을 듣고,또한 실제 쿠웨이트 시가지를 돌아보면 비분사부분의 건물이나 시설은 폭격이나 포격을 별로 받지않고 방화,파괴된것이 많아 대형 토목건축공사보다는 건물보수, 부분개축, 내장등 제한적인

중아국   1차보   청와대   건설부

PAGE 1   91.04.06   06:20 BX
                                       외신 1과 통제관
                                       0004

공사와 함께 엔지니어링쪽의 공사가 많을것같음. 끝.

    (대사-국장)

외 무 부

종   별 :

번   호 : KUW-0109

일   시 : 91 0405 1700

수   신 : 장관(중동일)

발   신 : 주쿠웨이트대사

제   목 : 아국업체 쿠웨이트 입국

연:KUW-47

대:WKU-84

1.표제관련, 연호와 같이 현대건설직원 10명에대한 입국사증이 이미 발급되었으므로 이들이 우선 쿠웨이트에 복귀, 대호 추가인원이 필요한지를 판단한 후에 동 추가인원 파견여부를 결정하는것이 좋을것으로 사료됨. (KUW-105참조)

2.그러나 당관은 상기 의견에도 불구, 대호 아국업체 요원들의 입국사증 발급을 주재국에 요청할 예정임. 끝.

(대사-국장)

중아국   1차보   정제국

PAGE 1

91.04.06   06:42 BX

외신 1과 통제관

0006

외 무 부

종 별 :

번 호 : KUW-0122

일 시 : 91 0410 1630

수 신 : 장 관(중동일)

발 신 : 주 쿠웨이트 대사

제 목 : 아국 간호원 쿠웨이트 취업

연: KUW-0123

1. 당관 참사관이 연호 보사부 차관 면담시 90.7월 쿠웨이트 측이 한국 간호원을 채용하기 위하여 선발을 끝냈던 사실을 지적하고 지금의 방침을 문의했음.

2. 동 차관은 AWATET 간호국장을 합석시켜 설명토록 하였는바 90.7월 쿠웨이트측은 해외개발공사와 37명의 한국 간호원 고용계약을 체결한바 있으나, 이라크 침공사태로 동 고용이 실현되지 못하였다고 하면서 지금이라도 동 간호원들이 기왕에 체결한 임금수준등 고용조건으로 취업을 희망할 경우, 이들의 쿠웨이트 입국을 즉시 주선하겠다고 한후 취업희망 간호원명단 (기체결 고용조건으로)등을 알려줄것을 요청함.

3. 취업을 희망하는 간호원 (상기 선발된 37명중)이 있을경우 그 명단을 통보바람. 끝.

(대사-국장)

중아국

PAGE 1

91.04.11   09:03 WG

외신 1과 통제관

0007

걸프사태 : 전후복구사업 참여, 1991-92. 전6권 (V.5 1991.4-12월)   13

외 무 부

종 별 :

번 호 : KUW-0124   일 시 : 91 0410 1700

수 신 : 장 관(중동일)

발 신 : 주 쿠웨이트 대사

제 목 : 아국업체 요원 쿠웨이트 입국

대:WKU-84

연:KUW-109

1. 대호 관련, 쿠웨이트 외무부 당국자는 스폰서의 동의없이 당관의 보증만으로는 입국사증 발급이 불가능하므로 스폰서들로 하여금 대호 직원들의 사증발급을 주선토록 하는것이 좋겠다고 함.

2. 따라서 당관은 우선 대호 스폰서들의 소재를 확인중이며, 접촉 되는대로 동 사증발급 주선을 당부할 예정임.

3. 한편, 대호 현대건설 스폰서인 UNITED GULFCONSTRUCTION CO. 대표 SAMI AL-OMOR 은 대호 현대건설 직원 12명의 여권사본과 사진 2매씩을 DHL로 당관에 송부하면 이들의 사증발급을 즉시 주선하겠다고 하였으니 동조치바람.끝.

(대사 -국장)

중아국   1차보   정문국   안기부

외 무 부

종 별 :

번 호 : USW-1700   일 시 : 91 0410 1732

수 신 : 장 관(중일,미북,경이,건설부)

발 신 : 주 미 대사

제 목 : 쿠웨이트 복구사업 참여

쿠웨이트 긴급 복구기구 (KERP, 미국 워싱톤 D.C. 소재) 는 차후 복구사업 수행을
위해 이에참여 희망 업체의 신청을 별첨 양식에 의해 접수중에 있음.

첨부: USW(F)-1260 (3매)

중아국   2차보   미주국   경제국   안기부   건설부

91.04.11   08:58 WG

외신 1과 통제관

0009

USW (표) ─ 1260
수 신 : 장관 (중일. 미주. 정이. 선본부)
발 신 : 주미 대사
제 목 : USW ─ 1700 첨부물 (4매)

1260ㅓ

Embassy of the State of Kuwait
2940 Tilden Street, N.W.
Washington, D.C. 20008

سفـــــارة دَولة الكُوَيـت
واشـــنطن

PRESS RELEASE   For release at 9:00 AM, March 25, 1991

The Embassy of the State of Kuwait expresses its gratitude for the tremendous interest shown by numerous companies and individuals in assisting in the reconstruction of Kuwait. In view of the difficulty of responding to the enormous volume of inquiries, the Embassy issues this clarification of the process and timetable for its reconstruction program.

The Kuwait Emergency and Recovery Program was initiated by the Government of the State of Kuwait to plan for the restoration of Kuwait following liberation. The goal of the emergency phase of the Program, which is now underway, is primarily to control the oil well fires and to restore critical services to the public, such as electricity, water, food, medical supplies, transportation, and communications.

The next phase of the recovery program will focus on assessing the damage caused by the Iraqi occupation, evaluating the needs, priorities , and planning the long-term reconstruction effort. This second phase is expected to require several months. Prior to its completion, it is unlikely that any substantial contracting activity will take place.

When the actual reconstruction contracting effort is ready to commence, the Government will afford ample opportunity during that third phase for participation by potential suppliers for proposals or tenders. The Government of Kuwait will ensure that business enterprises in the United States and other coalition countries will be able to actively participate in the rebuilding of Kuwait, including the employment of their nationals, as well as the participation of small, disadvantaged, and minority businesses.

Meanwhile, companies and individuals should rest assured that their expressions of interest are being processed into a data base that will serve as a resource during the reconstruction period.

For additional inquiries, please write:

    The Kuwait Emergency and Recovery Program
    1510 H Street, Northwest
    Washington, D.C. 20005

END

126 0-2   0011

GOVERNMENT OF KUWAIT
KUWAIT EMERGENCY & RECOVERY PROGRAM

TO: INTERESTED SUPPLIERS AND INDIVIDUALS

FROM: GOVERNMENT OF KUWAIT
        KUWAIT EMERGENCY AND RECOVERY PROGRAM

The Government of Kuwait has established the Kuwait Emergency and Recovery Program (KERP) office in Washington, D.C., to assist U.S. and international companies to participate in the recovery and reconstruction of Kuwait. To support this complex procurement effort, the KERP office is developing a database of suppliers, contractors, and individuals interested in contributing to the recovery program. The KERP database will contain such information as the product or service offered, the international standard industrial classification code, the location and country of the company, and whether the company is a small business.

The office is requesting that each company fill out a KERP Supplier/Vendor Application form (attached) so that the appropriate information can be entered in the database.

Interested companies are invited to fill out the application form and send it to:

                    Dr. Abdulhadi Al-Awadi
                       Deputy Director
        Kuwait Emergency and Reconstruction Program (KERP)
              Attention: Supplier/Vendor Database
                      1510 H Street, N.W.
                    Washington, D.C. 20005

Thank you for your cooperation.

1260-3

0012

GOVERNMENT OF KUWAIT
KUWAIT EMERGENCY & RECOVERY PROGRAM
1510 H Street, N.W., Washington, D.C. 20005

SUPPLIER/VENDOR APPLICATION

NOTE - Please complete all items on this form. Please type or print clearly. Insert N/A in items not applicable.

1. TYPE OF APPLICATION (Check One)	2. DATE	3. NAME AND ADDRESS OF APPLICANT (Include Country, City or Zip Code, and Fax)
☐ INITIAL ☐ REVISION		

4. TYPE OF ORGANIZATION (Check One)	5. ADDRESS TO WHICH SOLICITATIONS ARE TO BE MAILED (If Different than #3)
☐ INDIVIDUAL ☐ CORPORATION, INCORPORATED IN ☐ PARTNERSHIP COUNTRY/STATE OF: _____ ☐ AFFILIATE ☐ PUBLIC ☐ PRIVATE ☐ SUBSIDIARY ☐ NON-PROFIT ORGANIZATION ☐ SMALL AND/OR ☐ MINORITY BUSINESS	

6. PERSONS AUTHORIZED TO SIGN OFFERS AND CONTRACTS (Indicate if agent)

NAME	OFFICIAL CAPACITY	TEL. (Include Country Code)
		( )
		( )

7. IDENTIFY EQUIPMENT, SUPPLIES, AND/OR SERVICES (Use additional sheet if necessary)

7A. PRODUCT(S)/SERVICE(S) (Limit description to 30 characters)	7B. INTERNATIONAL STANDARD INDUSTRIAL CODE(S) (ISIC)	7C. U.S. STANDARD INDUSTRIAL CODE(S) (SIC)

8A. HAVE YOU DONE BUSINESS IN KUWAIT BEFORE?	8B. IF YES, SERVICES SUPPLIED _____ NAME, ADDRESS AND OWNER OF KUWAITI AGENT (If any)
☐ YES ☐ NO	_____ _____

10. ARE ADDITIONAL MATERIALS ATTACHED?	11. NUMBER OF EMPLOYEES (Including Affiliates)	12. AVERAGE ANNUAL SALES OR RECEIPTS FOR PRECEDING THREE FISCAL YEARS
☐ YES ☐ NO		

13. TYPE OF BUSINESS

☐ MANUFACTURER	☐ SERVICE ESTABLISHMENT	☐ DEALER/AGENT
☐ CONSTRUCTION	☐ RESEARCH AND DEVELOPMENT	☐ OIL INDUSTRY
☐ ARCHITECTURE & ENGINEERING	☐ OTHER, SPECIFY _____	

14. DUNS NO. (If Available)	15. HOW LONG IN PRESENT BUSINESS?

17. BANK REFERENCE

18. NAME AND TITLE OF POINT OF CONTACT (Type or Print)	19. SIGNATURE	20. DATE SIGNED

1260-4 (END)

0013

외 무 부

종 별 :

번 호 : FRW-1041

일 시 : 91 0410 1820

수 신 : 장관 (경일,중동일,구일)(사본:건설부)

발 신 : 주 불 대사

제 목 : 쿠웨이트 전후 복구사업

연:FRW-0904

쿠웨이트 전후복구사업 소요경비가 당초 예상했던 1,000억불 수준을 훨씬 밑도는 200-350억불 규모로 추정되는 가운데, 주재국 정부는 4.6 RAUSCH 대외무역성장관을 쿠웨이트에 파견하는등 복구사업 참여노력을 계속중인바, 최근주요 동향 아래보고함.

　1.복구사업 규모

　- 현재 상당수의 쿠웨이트 국민이 귀환하지 않은상태에서 정확한 피해 및 복구규모를 산정키는 어려우나, 쿠웨이트 정부는 사회 간접시설 복구에 50-100억불, 석유시설 복구에 200억불등이 소요될것으로 추정함.

　- 사회 간접시설 피해는 예상보다 적어, 최근 전기공급이 재개된데 이어 3주내상수공급도 재개될 예정이어, 현재 쿠웨이트에는 대규모 복구공사 (RECONSTRUCTION) 보다 기능공 (REPARATION)이 필요한 실정임.

　- 전반적인 유정복구에는 1년이상 소요될것이나, 금년 9월부터는 국내수요를 충당할수있는 일산 10만배럴 정도의 원유는 생산가능할 것으로 보임.

　2.불기업 참여

　- 미.영은 물론 독일, 일본까지 경쟁을 하고있어 불란서 지분이 그리 크지않을 것이나 현재 아래와같은 기업들이 참여 방안 모색중

　. ALCATEL: 통신시설

　. FORASOL:굴착공사

　. TOTAL CFP:유전개발

　. TECHNIP:정유시설 복구

　. SPIE-BATIGNOLLES:파이프라인 건설,공해방지

　- 한편, COGELEX ALATHOM 은 1.5억불 상당의 전기시설 복구사업을 쿠웨이트

경제국　1차보　구주국　중아국　안기부　건설부　乙차보

EPB 국제경제과 주형환

FAX 503-9198

91.04.11　09:32 WG

외신 1과 통제관

0014

전기성으로 부터 직접수주한 것으로 알려지고 있으며, GEC-ALSTHOM 사도걸프만 사태로 인해 공정의 60프로까지 진척후 중단된 약 7천만불 규모의 배전시설 공사속개문제를 추진중임.

　3. 향후 추진계획

　- 불란서는 90년도 쿠웨이트 교역상대국인바, 복구사업에 있어서도 최소한 걸프만 이전의 시장점유율 (3.8프로) 확보 목표

　- 복구사업 참여의 중심기관인 전경련 (CNPF)에는 약 450개이상의 복구사업참여 희망기업 리스트가 준비되어 있으며, 91.4월말 40개 주요 기업체 대표로 구성된 사절단 (단장:PERIGOT 전경련 회장)을 쿠웨이트에 파견 예정임.

　- CNPF 는 산업기술 협력청 (ACTIM) 과협의, 복구 전문가 4명을 쿠웨이트에 파견예정

　- 91.5월초 PARIS 에서 불-쿠웨이트 혼성위개최 (불측 수석대표:BEREGOVOY 경제.재무상)

　- 쿠웨이트와 장기협력 방안의 일환으로 카이로 지하철 건설사업등 제3국 프로젝트에 공동 진출방안도 모색.끝.

　(대사 노영찬-국장)

외 무 부

종 별 :

번 호 : KUW-0128
일 시 : 91 0411 1800

수 신 : 장관(중동일, 통이)

발 신 : 주쿠웨이트대사

제 목 : 컨테이너 기중기

연:KUW-95

1.4.8. 당지를 다녀간 한중의 사우디 지점장에 의하면, 연호 기중기에 대해 영국회사로 부터 견적제출 요청을 받았다고 함.

2.4.11. 본직이 카이야트 교통.통신장관을 방문하여 확인한바, 영국회사를 경유치 말고 한중이 직접 견적서를 제출하라고 하였음. 동 장관은 영국회사가 직접 제작하는 것으로 이해했다고 하면서 동 영국회사에 위임하였거나, 언질을 준적이 없고 자유경쟁 이라고 하였음.

3.동 장관은 수척의 예인선,조선 부두육상 운송장비,제반 시설보수등 긴급한 건들이있고 수개월 후가 될 제2단계에 가면 상당수의 화물 기중기를 구입할 예정이라고하였음. 또한 슈웨크항의 청소도 외국업체에 맡길 예정이라고함.

4.상기 방면에 관심을 두고 접근하도록 능력있는 업체에 권고하는것이 좋겠음.(동 장관은 미.서구 회사들에 비해서 한국및 일본회사들의 접근이 수도 적고 늦은편이라고 의아해 했음)

(대사-국장)

중아국   통상국

91.04.12   06:38 DQ

외신 1과 통제관

0016

외 무 부

종 별 :

번 호 : KUW-0129

수 신 : 장관(중동일,봉이)

발 신 : 주쿠웨이트대사

제 목 : 봉신사업 참여

일 시 : 91 0411 1800

연:KUW-0128

1. 연호 면담시 본직이 전화기 수요를 문의한데 대하여 카이야트 교봉.봉신장관은 전쟁전 일본의 NEC 와 8만대 구입계약을 체결하였는데, 이중 4만5천대가 우선 수일안으로 입하된다고 함.

2. 지금 급한것은 국제전화 회선인데 ATT가 1주안으로 240회선을 설치하고 수주안으로 320회선으로 확장하면 우선 급한 수요를 충족시킬 수 있을것이라 하면서 누구든지 자기장비를 갖고와서 위성을 통한 국제선 150회선 정도를 '수일안으로 곧 설치할수 있으면' 그 제의를 환영한다고도 말했음.

3. 앞으로 교환기등 봉신장비와 기술수요는 계속될듯 하니 한국통신공사(쿠웨이트와 기왕에 기술협력 약정을 체결하였을 것임)와 봉신기 제작회사 사원들이 내방,조사하는것도 유익할것으로 사료됨.끝.

(대사-국장)

조치

종아국   통상국

PAGE 1

91.04.12   06:39 DQ

외신 1과   통제관

0017

분류기호 문서번호	중동일 720-	기안용지 (720-2327)	시 행 상 특별취급	
보존기간	영구.준영구 10. 5. 3. 1	장 관		
수 신 처 보존기간				
시행일자	1991. 4. 15.			

보조 기관	국 장	전 결	협 조 기 관		문 서 통 제
	심의관				
	과 장				
기안책임자					발 송 인

경 유		발신명의	
수 신	한국통신공사사장		
참 조			

제 목	쿠웨이트 통신사업 참여

주 쿠웨이트 대사가 최근 주재국 교통통신 장관 면담시 전화기

수요를 문의한데 대해, 쿠웨이트측은 지금 급한것은 국제전화 회선으로서

ATT가 1주일내 240회선을 설치하고, 그후 수주내에 320 회선으로 확장하면

긴급수요는 충족시킬수 있다면서 누구든지 자기장비를 갖고와서 위성을

통한 국제선 150회선 정도를 수일내 설치할 수 있다면 환영하겠다고 언급

하였다 하며, 앞으로 쿠웨이트내 교환기등 통신장비와 기술수요가 계속될

전망 임을 감안, 귀 공사 또는 통신장비 제작사 조사원   /계속 ...

0018

현지파견이 유익할 것으로 판단되오니 이에대한 귀견 지급회보 바랍니다.

끝.

0019

외 무 부

종 별 :

번 호 : KUW-0139
일 시 : 91 0416 1330

수 신 : 장관(중동일,기정)사본:주쿠웨이트대사

발 신 : 주쿠웨이트대사대리

제 목 : 교민복귀문제

대: WKU-991 1. 대호 4.15 당관 정참사관은 JBC 측으로부터 9명의 입국비자를 받았는바, 동비자는 4.23경 귀국하는 KOTRA 장동락 관장편에 본부(중동일)로 송부 예정이니 관계인들에게 전달 조치바람.

2. JBC 측은 누락된 4명에 대해서는 계속비자 발급 교섭중이며 결과는 추후 통보해 주겠다고한바, JBC 장흥래과장에게 연락, 복귀인원9명의 항공일정을 확인, 통보해 주시기바람.

3. 9명의 명단은 장흥래, 김수조, 김정규, 최길영,한대식, 유태호, 조인제, 박장준, 이동일.끝.

(대사대리-국장)

외 무 부

종   별 :

번   호 : KUW-0143   일   시 : 91 0418 1100

수   신 : 장관(중동일) 사본:주쿠웨이트대사

발   신 : 주쿠웨이트대사대리

제   목 : 아국업체요원 쿠웨이트 입국

    대:WKU-84

    연:KUW-124

  1. 대호, 현대건설 스폰서인 UNITED GULF CONST. CO.사장 ALOMAR 이 현대건설 직원 12명의입국비자를 당국으로부터 발급받아 4.18. 당관으로가져와 이들의 가능한한 조기 쿠웨이트 복귀를희망하였음.

  2. 상기 12명의 비자는 4.23.경에 귀국하는 KOTRA관장편에 송부예정이니, 동인들이 가능한한조기에 복귀할 수 있도록 조치바람.끝.

   (대사대리-국장)

중아국   중아국 (대사)

PAGE 1

외 무 부

종 별 :

번 호 : KUW-0148   일 시 : 91 0422 1130

수 신 : 장관(중동일,기정)

발 신 : 주쿠웨이트대사대리

제 목 : JBC 요원 복귀

연:KUW-139

　　1.연호관련, 금일 정참사관이 JBC측을재접촉, 비자미발급 인원 4명에 대해 문의한바,엄경원은 비자가 발급되었으나, 사무착오로 다른나라에 가있으므로 곧 회수, 전달하겠다고 했으며,잔여 3명에 대해서는 추후 발급해 주겠다고했음.

　　2.한편, 전쟁전 JBC 요원이 살던 숙소는완전히 못쓰게 된바, JBC 측에 동 사실을알리고 숙소및 차량지원을 요청한바, 쿠웨이트복귀 항공일정을 미리 알려주면 JBC 측에서 임시숙소 및 수송수단을 준비하겠다고 했음.끝.

　　(대사대리-국장)

중아국　　안기부

91.04.22　　19:22 CO

외신 1과 통제관

0022

땀도 함께 꿈도 함께 번영도 함께

주 바 레 인 대 사 관

바레인 (가) 20600 - 93   1991. 4. 22.   이강우 대사

수 신 : 외무부장관 (사본 : 상공부 장관)

참 조 : 통상국장, 중동 아프리카 국장

제 목 : 쿠웨이트 복구 전시회 (자료·응신 제 18 호)

1. 당지에서는 91.11. - 11.7간 쿠웨이트 복구 사업과 관련한 전시회가
   별첨과 같이 개최될 예정입니다.

2. 동 전시회가 쿠웨이트에서 개최되지않고, 당지에서 개최되는 이유는
   금번 사태로 쿠웨이트의 숙박 시설 등이 대부분 파괴되어 상기와 같은
   국제적인 전시회를 개최하는데 현실적인 어려움이 있기 때문에,
   걸프내 교통및 통신, 금융 중심지인 당지에서 개최되는 것으로 알려지고
   있읍니다.

3. 또한, 상기 전시회에는 현재 22개국의 참가 신청 (별첨 참조)을 하고
   있는것으로 파악되고 있음을 첨언합니다.

첨부 : 1. 동 전시회 안내서 1 부

    2. 동 전시회 참가 신청국 명단 1 부. 끝

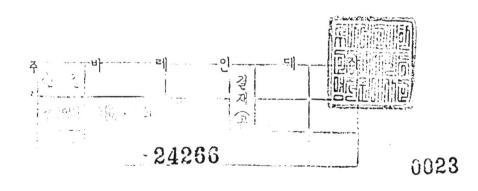

- 24266   0023

NATIONAL GROUP PARTICIPATION
AT REBUILD KUWAIT '91

COUNTRY	AREA
AUSTRALIA	T.B.A.
AUSTRIA	500
BELGIUM	300
CANADA	200
CHINA	T.B.A.
DENMARK	300
FINLAND	150
FRANCE	300
GERMANY	T.B.A.
HUNGARY	150
INDIA	1,000
ITALY	1,000
MALAYSIA	200
NORWAY	300
POLAND	T.B.A.
SINGAPORE	150
SWITZERLAND	450
U.K.	1,000
U.S.A.	1,500
TURKEY	300
JAPAN	T.B.A.
TAIWAN	T.B.A.

0024

اعادة اعمار الكويت ٩١

REBUILD KUWAIT 91

The International Multi-Sector Exhibition for Kuwait's Reconstruction Programme

Bahrain International Exhibition Centre

2-7 November 1991

Hosted by The Government of Bahrain
Supported by The Government of Kuwait

GULF AIR طيران الخليج
OFFICAL CARRIER

0025

외 무 부

종 별 : 지 급

번 호 : SBW-0936   일 시 : 91 0424 1400

수 신 : 장관(중일,경이,재무부,한은)

발 신 : 주 사우디대사대리

제 목 : 중동개발기금 창설 합의

　　1.GCC 6개국 재무장관들은 4.22 리야드에서 회합하고 새로운 협력 기금을 창설할 것에 합의하였음.

　　2.동기금의 창설 방안은 작년 12월 도하에서 열린 GCC 정상회담에서 원칙적인합의를 본것으로 기금의 규모는 최초 3년간 50억불을 조성하는 것으로 하되 최종목표는 150억불로 하고있음, GCC는 동기금에 유럽, 미국 및 일본의 참여를 희망하고 있음, 동금의 성격으로 보아 지난 2.7 베이커 미국무장관이 상원 외교위원회에서밝힌바 있는 중동 재건 은행 창설 방안은 동기금으로 대체될 것으로 보임.

　　3.동기금의 운영은 중동의 기존 협력기금의 대표자 및 GCC 재무차관들로 구성되는 이사회에서 관장할 것으로 보이는데 GCC는 기금의 실질적인 운영 즉 대출심사및 대출금 회주업무를 세계은행에서 대행해줄것을 희망하고 있다고 함, 사우디의 ABA AL-KHAIL재 무장관은 4.20 BRADY 미재무장관과의 제다에서 회합에서 동문제를 협의한 것으로 알려지고 있음, 중동의 기존협력기금은 아래와같음

　　1)다국간 기금(MULTILATERAL FUND)

　　0 경제사회개발기금(AFESD)

　　0 아프리카 경제개발 아랍기금(AFEDA)

　　0 아프리카 지원 특별기금(SAFA)

　　0 이슬람개발은행(IDB)

　　0 아랍통화기금 (AMF)

　　2)내국기금(NATIONAL FUND)

　　0 아랍경제개발 쿠웨이트기금(KFAED)

　　0 아랍경제개발 아부다비기금(ADFAED)

중아국　　경제국　　재무부　　　　　한국은행 /차보 2차보

91.04.24　　21:36 DA

외신 1과　통제관

0026

O 이라크 대외개발기금(IFED)

O 사우디개발기금(SDF)

4.GCC중앙은행 총재들은 4.24 리야드에 모여 쿠웨이트 재건을 위한 역내 상업
금융기관들의 협력방안에 대하여 논의할 예정으로 있음.

끝

(대사대리 박명준-국장)

외 무 부

종 별 :

번 호 : KUW-0153

수 신 : 장 관(중동일,기정),사본:소병용대사

발 신 : 주 쿠웨이트 대사대리

제 목 : 쿠웨이트 복구현황

일 시 : 91 0425 1200

　1.온중열 참사관이 4.24. 당지 미국대사관 DAVID PIERCE 참사관을 접촉, 미국대사관측이 파악하고있는 쿠웨이트 전후 복구사업 진척현황을 문의한바, 본인의 언급 내용을 아래 보고함.

　- 전력: 수백만에 걸친 동력선이 수선 또는 복구됨으로서 쿠웨이트시 전기사정은 전전의 91프로가 복구됨.

　- 식수: 3.1. 현재로 식수 생산량이 전무하였으나, 현재 1일 7천만 갤론이 생산되고 있으며, 10억갤론의 저장능력을 갖추고 있는 저장시설의 약1/3이 채워졌음.

　- 병원: 모든 공익 병원이 정상 운영중이며, 의약품은 충분히 공급되고 있음.교체해야 할필요가 있는 주요 의료시설이 빠른 속도로 교체되고있음.

　- 전화: 전전의 약 88프로가 복구된 국제전화시설이 확충되고있음.

　- 도로: 쿠웨이트와 사우디의 주요 간선도로 13KM 가 새로이 포장되는등 주요도로에 대한 복구공사가 진행중임.

　- 치안: 5,500의 경찰이 충원되었고, 순찰차 265대가 새로이 배치됨.

　- 유전진화: 미국회사등 1일 평균 2-3개 유전을 진화함으로서 4.22. 현재 48개가 진화됨.

　- 연료: 쿠웨이트국내 수요충족을 위해 40일 이내에 1일 5만배럴 생산계획을 마련중.

　- 공항: 쿠웨이트 정부가 다국적군으로 부터 국제공항운영을 곧 인수할 예정임. 현재로서는 쿠웨이트 항공이 인근 아랍국만을 운항하고 있으나 5.1 부터국제선 운항예정.

　- 항만: 미 해군의 도움으로 주요 항구 2개가 운영중임. 4개 항구에 이르는 해로 장애물이 제거됨.

중아국　　1차보　　중아국(과사)정문국　　안기부

91.04.26　　11:11 WG

외신 1과　통제관

0028

2. 상기 복구사업의 60-70프로가 미국회사의 주관으로 이루어지고 있으며, 여타는 미국회사들로 부터 하청받은 제3국회사들이 참여 하고 있다함.끝.

(대사대리-국장)

관리번호 91/1708

외 무 부

종 별 :

번 호 : BHW-0262(KUW-159)　　　　　　일 시 : 91 0429 1230

수 신 : 장관(중동일)

발 신 : 주 쿠웨이트 대사

제 목 : 쿠웨이트 시장조사단 입국

대:WKU-122

　　1. 대호 삼성 조사단의 쿠웨이트 입국비자 취득관련, 그간 쿠웨이트 외무부및 내무부등 관계기관과 접촉 하였으나 동 조사단은 사기업이 파견하는 것인만큼쿠웨이트인 스폰서를 통해서만 사증 발급이 가능하다고 하였음.

　　2. 온참사관이 4.29. 당지 ELECTRONIC APPLIANCE CORPORATION KUWAIT 사장RISHEQ 와 접촉, 표제 조사단의 사증취득에 대한 협조 제공 가능성 여부를 문의하였던바, 동 사장은 삼성측이 동 사장 앞으로 방문목적등을 명기한 서한을 FAX 또는 DHL 로 송부해 주면 이에 협조하겠다고 언급하였음.

　　3. 상기 EAC 의 FAX 번호및 주소는 아래와 같으니 삼성측이 RISHEQ 사장 언급대로 서한을 발송토록 조치바람.

　　-아래-

O DR. A. T. RISHEQ

GROUP MANAGING DIRECTOR

ELECTRONIC APPLIANCE CORPORATION KUWAIT

P.O. BOX 2449 SAFAT, KUWAIT

CODE NO.:13025

O FAX NO.:244288. 끝.

(대사대리-국장)

예고:91.12.31 일반

검 토 필 (1991. 6. 30.)

중아국　　2차보

PAGE 1

91.04.30　00:16

외신 2과　통제관 CH

0030

외 무 부

종 별 :

번 호 : NDW-0738   일 시 : 91 0429 2130

수 신 : 장관(아서,중근동)사:상공부, 건설부, 주쿠웨이트대사-중계필

발 신 : 주 인도 대사

제 목 : 인도의 대쿠웨이트 수주동향

연:NDW-0722

1. 4.28 SWAMY 상무장관은 연호관련 사절단의 일원으로 쿠웨이트를 방문한 TELECOMMUNICATION CONSULTANCY INDIA LTD.(TCIL)에서 쿠웨이트 정부로부터 3 백만불 규모의 유선통신망(TELEPHONE SYSTEM) 수리 PROJECT 를 수주하였으며, 동 PROJECT 수행을 위해 200 여 기술자가 조만간 쿠웨이트로 파견될 것이라고 밝힘.

2. 상기 PROJECT 외에도

0 쿠웨이트 정부가 인도 주재원에 대한 VISA 조기발급을 합의하였고

0 인도 국영무역회사 STC 지사 재개설

0 인도 국영 PROJECT AND EQUIPMENT CORPORATION 사절단 쿠웨이트 파견등을추진키로 했다고 밝힘.

3. 아울러 SWAMY 장관은 수상과 황태자(3 백만불 유선통신망 대인도 수리계약 직접발표)와 유익한 회담을 가졌다고 함.

4. 걸프전쟁중 미국군용기 급유중단등 인도의 대이락 편향적인 자세로 인도,쿠웨이트간 다소 불편한 요인이 존재함에도 불구하고

0 인도는 PROJECT 참여, 인력진출등 경제적인 이익을 위해

0 쿠웨이트 정부는 전쟁전후 일부 보도된 왕정붕괴 가능성과 관련한 외교강화노력의 일환으로 비동맹외교 종주국으로 중동지역에서 정치적으로 비중이 있는인도와의 유대강화 필요성이 합치하여 TCIL 수주계약등이 성사될수 있는 것으로 분석됨.

(대사 김태지-국장)

아주국   2차보   중아국   상공부   건설부

PAGE 1   91.04.30   06:19
                                                외신 2과 통제관 CH

0031

외 무 부

이 찬 사 7 . . .

종 별 :

번 호 : KUW-0163   일 시 : 91 0501 1100

수 신 : 장 관(중동일)

발 신 : 주 쿠웨이트대사 대리

제 목 : 내무부 차관보 면담

연:KUW-88,99

1. 당관 온중열 참사관이 5.1. 쿠웨이트 내무부 MOHAMED AL QABANDI 차관보와 면담을 갖고, 아측의 몇가지 당면 관심사항을 문의하였던바, 동인의 언급 요지를 아래보고함.

(1). 교민 복귀 문제

- 쿠웨이트인 스폰서의 신청없이는 이들의 입국을 당국 자의로 허가할수 없으므로 우선 스폰서와 연락, 입국절차를 밟도록 하는것이 현재로서는 한국교민의 쿠웨이트복귀를 가장 빨리 실현할수 있는 방법이므로 스폰서와의 접촉을 권유바람.

(2). 지뢰제거 작업

- 그간 미.영.불 연합군이 해안 및 주요 도로변의 매몰 지뢰탐지 및 제거작업을 담당하여 왔었으나, 쿠웨이트 정부가 영국회사와 동 제거작업 계약을 하였으므로(체결일자 및 영국회사명등 불명) 앞으로는 동 회사가 동 제거작업을 담당할 것임.

(3). 산업용 마스크 기증

- 불타고 있는 유정 경비병 착용을 위해 당관 보유산업용 마스크 30개 기증의사를 표시한데 대하여 (우선 한개를 견본으로 제공) 동인은 동기증의사에 사의를 표하고, 사용해본후 효과가 좋으면 아국에 다량을 발주할 것이라고 언급함.

2. 교민복귀 문제관련, 당관은 당관보유 기록을토대로 우선 스폰서들의 소재를 파악, 이들의 조치를 권유할 예정임. 끝.

(대사대리-국장)

중아국 차보 안기부

91.05.02   01:10 CT

외신 1과 통제관

0032

발 신 전 보

분류번호	보존기간

번　　호 :　WKU-0132　　910502 1410　FN　　　종별 :

수　　신 :　주 주 쿠웨이트 대사대리 ~~사//총영사~~

발　　신 :　장　관　(중동일)

제　　목 :　업체요원등 교민 쿠웨이트 입국

대 :　KUW - 0139, 0143

　　　대호 JBC요원 9명의 비자는 4.30 쿠웨이트 교민회, 현대건설 직원 12명의
비자는 현대본사(해외업무부)에 각각 전달하고 이들의 조기 복귀를 희망하는 현지
스폰서의 입장을 통보하였으니 양지바람.　　　끝.

(중동아국장　이 해 순)

보 안 통 제	153

양 고 재	기안자 성명		과 장	국 장	차 관	장 관	
91년5월2일 중동일과							외신과통제

0033

외 무 부

이참사관

종 별 :

번 호 : KUW-0170

일 시 : 91 0502 1530

수 신 : 장관(중동일)

발 신 : 주 쿠 대사대리

제 목 : 영국회사의 지뢰제거 사업계약

연:KUW-163

1.연호 2항관련, 당관이 당지 영국대사관측과 접촉했던바, ROYAL ORDNANCE(RO)회사가 4.25. 쿠국방부와 계약을 체결, 92년말까지 쿠 전역에 매몰되어 있는 지뢰와 산재 해 있는 화약류를 제거하는 사업을 추진할 것이라고 함.

2.RO측은 쿠 수복과 더불어 인원을 쿠에 파견, 유전진화를 위한 사전 정지작업을1개월간 실시 하였다고 하며, 전기 1항 작업에 있어 영국 공병대가 지뢰의 조사, 탐지 및 표식등 RO측을 도와주고, RO측은 이에대한 댓가를 영국 국방성에 지불할것이라고 함.

3.RO측은 관심있는 외국회사와의 접촉을 희망하고 있다 하므로 동 회사의 연락처를 참고로 아래 보고함.

-ANDREW JEACODS

PUBLIC RELATIONS MANAGER

PLC,11 STRAND, LONDON

WC2N 5JP

TEL:071 389 6087

FAX:071 389 6000.

끝.

(대사대리-국장)

중아국   1차보   정문국   안기부

※ 전성복 사본 측가배포 (해외건설과)

FAX: 503-7409

PAGE 1

91.05.03   00:18 DA

외신 1과 통제관

0034

외 무 부

종 별 : 지 급

번 호 : KUW-0171   일 시 : 91 0502 1600

수 신 : 장관(중동일,봉일,봉이)

발 신 : 주 쿠웨이트대사대리

제 목 : 전후복구 물품 수입

　　1.당지 AL BAIDAA 무역회사는 아래 물품을 긴급 수입코자 하는 의사를 당관에 알려 왔는바, 관심업체로 하여금 조달가능 물품내역및 선적 가능일시를 DHL 또는 FAX 로 동 회사에 봉보토록 해주시기 바람.

　　가.구매희망 물품-FAX,복사기,타자기(전동),컴퓨터,통신장비등 각종전자제품

　　-각종 의료기기

　　나.연락처

　　-주소:P.O. BOX 24890 SAFAT, 13109-KUWAIT

　　AL BAIDAA TRADING AND CONTRACTIONG CO.

　　-전화:244-6513,244-6543

　　-FAX:476-2181

　　-담당자:WADDAH TIBAWI(ELECTRONIC SYSTEM DIVISION)

　　2.동 회사에 따르면 쿠웨이트 정부는 전후복구를 위한 물품 조달계획을 수립하고 있다 하는바, 문교부의 경우 아랍어 타자기 400대, 영문타자기 250대, 복사기 350대, 등사기(스텐실) 200대, FAX400 대등을 긴급 구매할 예정이라 함.

　　3.동회사는 또한 상기 물품 수출상담을 위해직접 내방하는 아국업체 직원에 대해사증을 주선해 주겠다고 함을 참고바람.

　　끝.

　　(대사대리-국장)

중아국　　　통상국　　　통상국 정차장

91.05.02　　23:48 DA

외신 1과 통제관

0035

건   설   부

해외 30600-12260   (503-7396)   1991. 5.   2
경유 외무부 장관   (1년)
수신 주미대사
제목 해외건설 수주 촉진을 위한 업무 협조

        걸프전후 복구사업 참여방안등 해외건설 수주 촉진을 위하여 해외건설
협회장 일행이 다음과 같이 미국내 관련기관 및 민간기업체 방문을 위해 출장
코자 하는바, 소기의 목적이 달성될 수 있도록 면담 주선등 관련사항을 주선
의뢰하오니 적극 협조하여 주시기 바랍니다.

                              다   음

    1. 출장목적 : 걸프전후 복구사업 참여 확대 추진 및 제 3국 건설협력
모색

    2. 출장지역 : 뉴욕, 워싱턴, 휴스턴, 샌프란시스코, 로스엔젤레스

    3. 출 장 자

        ㅇ 해외건설협회   회   장   홍 순 길

        ㅇ   "   업무부장   소 재 오

        ㅇ 건설부 해외협력과 행정사무관 박 종훈

    4. 출장기간 : '91. 5. 19(일) ~ 5. 29(수)

    5. 협조 요망사항 : 관련기관 면담 주선

        가. 면담대상자

        ㅇ COE 사령관 및 MEAPO (Middle-East & Africa Project
Office) 책임자

                              1991   4

                    12526   0036

해외 30600-   1991. 5.   2

        ㅇ 상무성내 걸프전후복구 책임부서장

        ㅇ 주미 아국대사 및 UN 대사

    나. 기타 일정 주선

첨부 출장계획 1부.

건 설 부 장

0037

미국 출장 계획

1. 출장목적

가. 걸프전 전후 복구 사업 참여 확대 추진

- COE(미육군 공병대), 미상무성등 직접관련 기관과 한국 업체의 참여

  확대 방안 협의

- 주계약자로 유력시되는 미국 유수 민간업체와 한국업체와의 협력

  방안 협의(컨소시움, 하청등)

나. 제3국 건설협력 모색

2. 출장기간 : 91. 5. 19(일) - 5. 29(수) : 10박 11일

3. 출 장 자 : 해외건설협회 회장 홍 순길외 2인

4. 출 장 지 : (미국)뉴욕, 워싱턴, 휴스틴, 샌프란시스코, 로스엔젤래스

0038

5. 주요 활동 계획

입 시	장 소	내 용	비 고
5.19(일) - 5.20(월)	뉴욕	o 진출업체 간담회 o Turner등 현지업체 면담	
5.21(화) - 5.22(수)	워싱턴	o 대사관 방문 o COE 방문 o 상무성 방문 o 현지업체 면담 (AGC회장등)	~
5.23(목)	휴스튼	o Brown & Root, Blount 방문	
5.24(금) - 5.28(화)	LA 및 SF	o Bechtel, Fluor Daniel, Parsons 방문	

0039

6. 출장 일정

일 시	내 용	기 편	비 고
5.19(일) 10:00 12:10	서울 발 뉴욕 착(캐네디 공항)	KE 026 (앵커리지 경유, 15시간 10분 소요)	1박 2일
5.20(월) 17:30 18:59	뉴욕 발 워싱턴 착 (내셔널 공항)	TW 703	2박 3일
5.22(수) 17:25 19:41	워싱턴 발 (Dulles 공항) 휴스톤 착 (Dallas 공항)	CO 149	1박 2일
5.23(목) 17:34 19:40	휴스톤 발 SF 착	CO 485	1박 2일
5.24(금) 18:00 19:11	SF 발 LA 착	US 2188	4박 5일
5.28(화) 12:10 5.29(수) 17:15	LA 발 서울 착	KE 015	

0040

발 신 전 보

분류번호 보존기간

번 호 : WUS-1903 910506 1423 FL   종별 :

수 신 : 주 미   대사!!총영사 (사본: 주쿠웨이트대사) ~~WKU -0136~~

발 신 : 장 관 (중동일)

제 목 : 해외건설협회장 일행 방미업무 협조

해외건설협회장 일행이 다음과 같이 방미, 관련기관 및 업체와 접촉 걸프전후 복구사업 참여 ~~확태~~ 추진 및 제3국에 대한 건설 협력을 모색코자 하는바, 동 일행의 방미 목적이 달성될 수 있도록 면담 주선등 필요협조 바람.

다 음

1. 출 장 자 : 홍순길 해외건설협회장, 소재오 동 협회 업무부장 및
   건설부 해외협력과 박종훈 사무관.

2. 기 간 : 91.5.19(일)-5.29(수)

3. 방문지역 : 워싱턴, 뉴욕, 휴스턴, 상항, LA.

4. 주요활동 계획 및 면담인사

   5.19(일) - 5.20 뉴 욕 ㅇ 진출업체 간담회

   ㅇ Turner등 현지업체 면담

   5.21(화) - 5.22 워싱턴 ㅇ 대사관 예방

   ㅇ COE 단장 및 MEAPO 책임자 면담

   ㅇ 상무성내 걸프전후 복구책임부서장 면담

   ㅇ AGC등 현지 업체 면담.

   5.23(목) 휴스턴 ㅇ Brown&Root, Blount 방문

   5.24(금) - 5.28 LA.SF ㅇ Bechtel. Fluor ,Parson사 방문   끝.

(중동아국장 이 해 순)

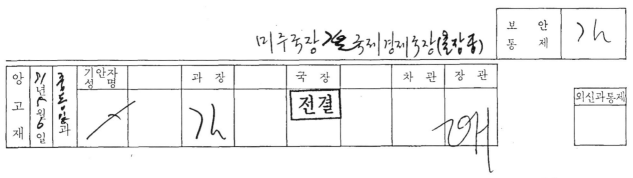

미주국장 겸 국제경제국장(출장중)

		기안자 성명	과 장	국 장	차 관	장 관	
앙 고 재	91년 월 일 과			전결			외신과통제

보 안 통 제

0041

분류기호 문서번호	중동일 720-	기안용지 (720-2327)	시 행 상 특별취급	
보존기간	영구·준영구 10. 5. 3. 1	장 관		
수 신 처 보존기간				
시행일자	1991. 5. 6.			
보조 기관	국 장	협 조 기 관		문서통제 1991. 5. 08
	심의관			
	과 장			
기안책임자				발 송 인 1991. 5 08
경 유 수 신 참 조	수신처 참조	발신명의		
제 목	걸프전후 복구사업 및 건설공사참여 안내서 송부			

1. 본부는 걸프전후 복구사업 관련 각공관 보고서를 토대로

작성한 별첨 안내서를 지난 4.12 전경련 주최 민·관합동 간담회 개최시

업체 및 국내 관련기관에 배포하여 걸프전후 복구사업 및 경협 증진

활동에 적극 활용토록 안내한바 있습니다.

2. 상기에 이어 후속안내서를 작성, 업계 활용자료를 제공코자

하니, 귀관은 걸프전후 복구사업 및 중동제국과의 경협증진 활동에 필요한

정보 또는 자료를 계속 수집, 보고하여 주시기 바랍니다.

첨 부 : 상기 안내서 1부.   끝.

/계속 . . .

0042

수신처 : 주 쿠웨이트, 사우디, 요르단, 바레인, UAE, 카타르, 미국,

영국, 불란서, 이태리, EC, 일본, 독일 ~~대사~~, 오만대사

주 카이로 총영사

0043

외 무 부

종 별 :

번 호 : SGW-0288   일 시 : 91 0511 1000

수 신 : 장 관(통이,중근동,아동,상공부)

발 신 : 주 싱가폴 대사

제 목 : 주재국의 쿠웨이트복구사업 참여

(자료응신 제30호)

1. 주재국의 17개 회사로 구성된 사절단이 91.11.2.-7.간 바레인의 국제전시장에서 개최되는''REBUILD KUWIAT 91'' 전시회에 참가할 예정이라고 주재국 무역개발청(TDB)이 5.10. 발표함. (동전시회와 함께 ''KUWAIT MONTH IN BARHAIN'' 주제의세미나겸 회의가 동시에 개최됨.)

2. 동 전시회는 약 500억불로 추정되는 쿠웨이트 복구사업과 관련 최초의 교역 전시회로서, 동전시회의 개최시기가 쿠웨이트의 피해 평가작업이 9월 또는 10월 끝나게 되는것과 일치하고있는바, TDB 측은 동 전시회에서 주재국회사들이 공업원료, 제품, 장비및 서비스 공급계약뿐 아니라 다국적 및 쿠웨이트 회사로부터 토목,건축공사의 하청계약을 체결할 가능성이 있다고밝힘.

3. 주재국은 약 200 평방미터의 전시장을 차지하게되는바, 상기 사절단은 공업원료, 소비내구재,건설장비 공급회사외에 토목 및 해운자문서비스회사, 기타 해운관련회사들로 구성되어있음. 끝.

(대사-국장)

통상국   2차보   아주국   중아국   정문국   안기부   상공부

외 무 부

종 별 :

번   호 : KUW-0180   일   시 : 91 0511 1800

수   신 : 장관(경일,경이,중동일,중동이)

발   신 : 주 쿠웨이트 대사

제   목 : 설비공사 수주

1. 쿠웨이트의 한 건설공사 및 무역중계 업체인 AIC 대표가 5.9. 예방하여 다음 요지의 설명과 제의를 함.

가. 현재 쿠 당국의 최대 주력사업은 유전화재 진화와 석유생산 재개임.

나. 동 작업은 유전진화, 원유생산 및 수송, 저장시설 복구, 정유시설가동의 3 단계로 나누어 시행될것임.

다. 진화작업과 병행하여 6 월하순-7 월에 제 2 단계 작업도 개시하게 될것임.

라. 원유생산 업체인 KOC 는 2 단계 작업을 할 수 있는 업체를 검토하고 있는데, 대우도 동 업체중 하나임.

마. AIC 가 나서면 대우의 수주가 가능함.

AIC 는 왕세자 겸 총리의 유력한 고문인 전 기획장관 AI AWADI 의 후원을 받고 있음.(동 AIC 대표는 본직과 친면인 AL-AWAD 전 장관의 친제와 동행했음) 수주경쟁은 가격경쟁 못지않게 정치적 영향력의 싸움임.

바. KOC 가 발주할 공사는 수송관, 원유 집주시설, 저유탱크등 방대한 설비이며 KOC 와 잘 되면 제 3 단계인 정유시설 복구사업(KNPC 소관)에도 참여하게 될 가능성이 큼. 대우와 사업을 하기 원함.

2. 상기 제의에 대해 본직은 동 개요를 문서로 정리하여 줄것을 요청하였으므로 이를 접수하는 데로 추보 하겠음.

3. 백텔등 영, 미계 회사들의 계약 점유와 영향력등에 관해서도 토의 했는데 AIC 측에서는 백텔이 실제로 공사를 하는것이 아니고, KOC 등에 대한 용역과 장비, 인원등 자원 제공이 주요한 일이라 하고, 대우가 수주하게 하는데 장애는 없을 것이라고 말했음.

4. AIC 측이 KOC 의 내부정부를 가지고 우리에게 접근하는 것 같으며, 저유등 시설

경제국	장관	차관	2차보	중아국	중이국	경제국	청와대	안기부
경기원	건설부							

PAGE 1   91.05.12   16:41

복구공사가 이제는 급하게 된것도 관련사정으로 보아 확실하니 이상 내용을 대우측에 알리고, 지역제한 제도가 있음에도 불구하고 조사인원 파견을 검토케 권유할 것을 건의함.

수일안에 보낼 추가 정보를 참고하고 파견결정을 하게되면 AIC 에게 입국을주선 시킬 수 있을것임.끝.

(대사-국장)

예고:91.12.31 일반

검 토 필 (1991. 6. 30.)

외 무 부

종 별 :

번 호 : SBW-1016   일 시 : 91 0519 2330

수 신 : 장관(중일,경이,재무부,한은,기정)

발 신 : 주 사우디 대사

제 목 : 걸프개발기금의 설립 현황

연:SBW-936(91.4.24), 재무부 국기 22257-255(91.4.30)

당관 노훈건 재무관은 5.18 GCC 사무처의 ABDULLA EL-KUWAIZ 경제담당 부총장과 면담하고 걸프개발기금의 설립현황에 관하여 탐문한바를 아래와 같이 보고함

1. 지난 3 월 룩세부르크에서 열린 걸프사태 재정협력단(GFCCG)회의에서 기 출연금의 상설 기금화 방안이 논의되었는바, 미국측은 동 기금을 세계은행 산하에 두기를 희망한 반면 붙는 세계은행과 유럽개발은행이 공동으로 관리하는 방안을 제시하였음. 6.10 경에 리야드에서 개최예정인 차기 GFCCG 회의에서 이문제가 다시 논의될 예정이나 합의에 이르기는 어려울 것이라 함

2. GCC 국가들은 GFCCG 출연금과는 별도로 작년 12 월 GCC 정상회담에서 합의된 걸프개발기금의 설립을 추진하여 지난 4.22 리이드에서 개최뤈 GCC 재무장관 회의에서 동 기금의 창설을 승인하였음, 동기금은 GCC 가맹국만의 출자에 의하여 설립하되 최종 출자목표를 100-150 억불로 하고 있으며, 국별 출자비율은 아직 합의에 이르지 못하고 있음, 동기금이 종전의 제기금과 다른점은 주된 지원대상을 정부 부문이 아닌 민간 부문에 둔다는 것과 기존의 개발기금과 협조체제를 유지하면서 운용된다는것임, 사우디의 ABA AL-KHAIL 재무장관은 제다와 워싱턴에서 양차에 걸처 가진 BRADY 미 재무장관과의 회담층에서 동구상을 설명하여 미국측으로 부터 긍정적인 반응을 얻었다는 것임

3. 지난 2.7 BAKER 미국무장관의 바(877)(418)(239) 비롯된 중동지역의 개발금융 기구의 신설문제는 중동개발은행의 창설 방안이 대내외적인 지지를 받지 못하였고, GFCCG 의 상설기금화 방안도 일부 참여국의 반대로 성사되기 어려운 실정임에 따라 결국 걸프개발기금의 설립으로 종결될것으로 보임.

그러나 동기금이 출자국에 의하여 독자적으로 운영된다고 하더라도 지원 대상국의

중아국	차관	2차보	경제국	정와대	안기부	재무부	한국은행

경제구조 조정등이 수반되어야 하므로 실제 운영에 있어서는 세계은행이나 IMF 의
업무 협조가 불가피할것으로 보임.끝
　　(대사 주병국-국장)
　　예고:91.6.31 까지

관리
번호 91/1072

외 무 부

종 별 :
번 호 : KUW-0219
수 신 : 장관(중동일,미안)
발 신 : 주 쿠 대사
제 목 : 쿠 국방장관 면담

일 시 : 91 0522 1800

연:KUW-188

1. 본직은 온중열참사관과 함께 연호 군복 도착분 전달키위해 5.21 ALI SALEM 국방장관과 면담을 갖고 상호 관심사를 논의하였는바, 동 장관의 주요 언급 내용을 아래 보고함.

1)과거 3 회 방한한 적이있고(동 장관은 한. 쿠 합작은행 설립자의 한사람임), 한국건설회사의 쿠웨이트내 실적에 대단히 만족하며, 앞으로도 많은 한국회사들이 쿠웨이트 복구사업에 참여하여 주기를 희망함.

2)군 관계 건물 등 시설이 가장 심하게 파괴되어(기존시설의 80-90 프로) 이에 대한 복구또는 재건이 시급히 요청되고 있는데, 능률있기로 정평있는 한국회사들이 맡아주면 좋겠음. 준비되는대로 입찰공고를 할것임.

3)보충 또는 구매해야할 군장비가 많은데 RED TAPE 가 없는 한국회사로 부터 구입할 경우 보충이 신속히 이루어질것으로 생각함. 한국측이 국방차관 및 조달감등 관계자들과 앞으로 쿠웨이트측이 보충또는 구입해야할 장비를 구체적으로 협의하여 주기바람.(이를 위하여 군수전문 대표단을 데려오면 어떤가 묻는데 대해 장관은 아직은 이르니 우선 위와같이 협의한후 정하자했음.)

4)한국정부가 주한미군을 어떻게 다루고 있는가에 대한 자료를 제공하여 주면 감사하겠음. (본직이 남북한간 인구차이에도 불구 북한이 현저히 많은 군병력을 유지하고 있지만 주한미군이 이를 보완해주고 있다고 설명한데 대해)

2. 동장관의 2)항 언급내용과 같이 군관계 시설이 가장많은 손상을 입은것으로 보이며, 앞으로 이부문에 대한 복구및 신규공사가 많을것으로 예상되는 한편, 군장비에 대한 수요도 많을것으로 보이는바,3)항 관련 아국산 각종군장비 카다로그를 지급 송부하고 각 품목별 샘플을 송부바람. 790-4616 조소령

중아국	차관	1차보	2차보	미주국	청와대	안기부

3.4) 항관련, SOFA 협정 사본, 한미연합사 조직및 유엔군 사령부가 매년 유엔에 제출하는 보고서 사본을 송부바람. 끝

(대사-국장)

예고 : 년말까지

검 토 필 (1991.6.30.)

외 무 부

종 별 :

번 호 : KUW-0224

일 시 : 91 0523 1700

수 신 : 장 관(중동일, 사본:건설부장관)

발 신 : 주 쿠대사

제 목 : 복구공사 수주협의

1. 쿠웨이트의 인터내셔날호텔 복구공사관계로 5.21 삼성종합건설 사우디 지사장이 현지를 방문, 발주처인 KEO 와 원청회사인 미국의 SHAL 사등과 협의를 마치고 5.22 사우디로 돌아갔음.

2. 호텔내부 수리공사인 이공사는 미국 SHAL 사로부터의 하청으로 미국에서기본협의를 마치고 현지답사와 최종계약 협의단계에 있으며 삼성측에서는 긍정적으로 검토하고있음.

3. 이공사계약은 COSTFEE 방식으로 대개 1,500-3,000 만불범위로 보이며 91.6 월착수,91.11 월 중순 준공예정이라함.

4. 진전사항 추보하겠음. 끝

(대사-국장)

예고:91.12.31.까지

검 토 필(1991. 6. 30)

PAGE 1

91.05.24   08:14

외신 2과 통제관 BS

0051

외 무 부

김영근

종   별 :

번   호 : KUW-0238　　　　　　　　　　　일   시 : 91 0526 1800

수   신 : 장관(중동일,통이)

발   신 : 주쿠웨이트대사

제   목 : 컨테이너 기중기 견적서

　　　연:KUW-128

　　　대:중동일720-15961

　　　1.본직은 온참사관과 함께 대호 견적서를 전달키 위해 5.26 쿠웨이트 항만청장을방문하였음.

　　　2.NAIBARI 청장은 관련 컨테이너 기중기는 긴급 복구기간에 견적을 받았더라면 청장 재량으로 결정,구입할 수 있엇으나, 얼마전에 특별기간이 끝났으므로 이제는 공개 경쟁 입찰을 통해서 구입할수 밖에 없다고 말하고,항만청에서 새로운 규격을 결정하는대로 입찰 공고를 낼 예정이라고하였음.(시기는 언급치않음)

　　　3.이와같은 사정이었으므로 대호 견적서를 그대로 제출하는것이 좋을지 의논한 결과 NAIBARI청장은 장차 경쟁입찰에 응하고자 하면 미리 가격등을 공개하는것이 이롭지 못할것이나 제출치 않는것이 좋겠다고 하여 도로 가져왔음.이럼에도 불구하고 동견적서를 제출할지 아니면 한중에 반송할지 회시바람.

　　　4.관련 전문으로 부고한 SHWAIKH 항구 복구작업은 항내 해저 장애물등 준설작업은 한 쿠웨이트회사가 맡아 45일간 작업예정이고,그와 병행 또는 후에 대호 콘테이너기중기를 포함 여타화물기 중기수리,복구등 작업을 하는데,입찰방법(기중기를 종류등에 따라 분리 입찰할지,전부를 한 페케지로 할지등)은 아직 검토중이라고함.

　　　5.본건 입찰 공고되면 보고하겠음.끝

　　　(대사-국장)

중아국　　　통상국

주 쿠웨이트 대사관

주쿠웨이트(건설) 20617-30   1991. 5. 28

수 신 : 장 관 (사본 : 건설부장관)

참 조 : 중동아프리카국장

제 목 : 기업의 쿠웨이트 진출

다음과 같은 기업진출에 대한 제의가 있어 보고하니, 관련단체나 업체에 수소문하여 이 제안에 관심이 있는 업체를 당관에 회보해 주시기 바랍니다.

1. 제의 설명 내용

쿠웨이트의 한 유력한 인사가 1990. 6. - 1991. 4. 까지 각료 지위에 있던 것을 자산으로 활용하여 건설,설비,생산부분에 외국기업을 유치하여 브로커겸 에이전트를 하고저 하는 것임.

가. 건설 - 설비부분

(1) 우선은 쿠웨이트 원유회사(KOC) 가 곧 착수할 예정인 원유생산관련시설 복구, 원유저장시설, 집배시설 및 수송(송유관,선적시설등) 시설 복구등에 참여

(2) 이 외에 단계적으로 예상되는 건설,시설복구공사에 참여

(3) 이것을 위하여 종합건설회사를 소개받기 바라며, 아니면 대형회사가 아니더라도 " 신용과 능력있는" 중간규모정도의 회사들을 각분야(건설,시설등) 별로 몇개 소개해주면 이들 회사가 공동으로 쿠웨이트에서 사업할 수 있게 주선할 것임.

나. 전기용품공장

(1) 전쟁으로 받은 전기시설이 파괴, 또는 도난당했으므로 전선,변압기,전구등 잡다한 전기용품수요가 많음으로 이것을 목표로 전기용품공

0053

장을 쿠웨이트에 세움.

(2) 쿠웨이트만으로는 경제규모가 못되므로, UAE 등 걸프지역에 광역시장개발(제안자가 걸프연안국가들에 갖고있는 줄(Connection))을 활용.

(3) 제안자는 사업허가와 이에관련된 업체의 주선, 판매시장개척, 공장대지제공 - 우리측 투자자는 공장건물, 설비, 생산담당.

(4) 투자조건은 처음 몇년간 투자자본 회수기간은 제안자는 "약간의 필수적 수수료(Nominal Fee)"를 받고, 그 이후는 이익배분등에 관해 다시 협의

2. 제안자는 이락의 침공직전인 90. 7.에 주택사업부 장관으로 임명되어 입각했으며 지난 4월 개각때 퇴임한 사람인데, 석유분야전문가로 이분야에 오래 종사했음.

지난해 7월 개각때는 일부 국민들의 "민주화 요구 - 국회복원요구, 왕(Amir) 가등 전통적 지배층의 권력독점에 대한 도전"등이 드세어져서 이에대한 대답으로 일부 각료직에 전문인들중 국민에게 인기있는 이들을 임명했을 때 입각했음.

4월 개각에서 나오게 된것은 "자기를 포함하여 몇몇 인기있는 각료는 91년중에 실시하기로 되어있는 국회의원선거에대한 정부측 활동요원으로 일하게하고 또 출마하게하기위하여 취한 조치"라고 그는 말하고 자기는 왕세자이자 총리인 Shaikh Saad 와 가까운 사이이고 "그를 언제나 만날 수 있는 입장"에 있으므로 이러한 정치배경과 자기의 석유분야에서의 오랜 경력과 인맥, 전직 각료로서의 사회적, 정치적 지위등을 자산으로 사업하고자 한다고 말했음.

3. 그는 또한 "적절한 상대를 주선해주면" 자기가 방한하여 구체적인 의논을 할 생각이라고 했음.

4. 쿠웨이트의 지금 특수한 사정때문에 외국 기업에 대한 알선, 용역 등을 희망하는 이들이 많은데, 많은 경우 강한 희망에 비하여 "실력"은 확실하

0054

지 않은데 이 제안자는 일단 그 실력을 믿을 수 있을 것같음.

제안자 AL - Smeit는 그동안 각료로 있었기 때문에 개인사업기회를 만드는데 오히려 장애가 있었던 것같고, 지금은 자유로운 입장에서 이 일에 나선 것같은데, 그렇게되어 미.영등 회사와 일할 기획는 늦게 착수하여 없어졌기에 자기가 평소에 관심이 있던(그는 90. 11.에Amir 특사로 방한 했었음) 한국에 접근하는 것같음.

우리측으로서는 쿠웨이트 사업에 관심있으며 아직 쿠웨이트에 에이전트나 스폰서를 두고 있지않은 업체가 한번 접촉해서 가능성을 시험해 보는 것이 좋을 것같아 추천함.

AL-Smeit 는 자기 사무실을 정부에서 사업인가를 받는 대로 따로 낼 예정이라는데 그때까지는 다음 회사(자기 아우의 회사)에 연락처를 두고 있을 것이라고 함.

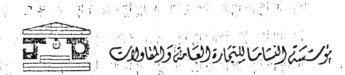

Al-Nashama Gen. Trad. & Cont. Co.

النقرة – شارع العثان – مجمع ابراج السلام – ملك بيت التمويل الكويتي – ص.ب ١١٨٩ حولي – الرمز البريدي 32012 الكويت
Tel. 2613894 · Office 2634144 — Fax. 2613895   تلفون ٢٦١٣٨٩٤ – المكتب الرئيسي ٢٦٣٤١٤٤ – فاكس ٢٦١٣٨٩٥
Nogra · Othman St. Abraj Al Salam Complex — P. O. Box 1189 Hawalli · Zip No. 32012 Kuwait

5. 가능한대로 우리측 업체의 반응을 급히 조사해서 알려 주시기 바랍니다.

첨   부 : AL-Smeit   의 이력서. 끝.

Al-Nashama Gen. Trad. & Cont. Co.

주 쿠 웨 이 트 대

R E S U M E

• Name	:	YAHIA FAHED AL-SUMAIT
• Age	:	47 Years
• Education	:	B.Sc. - Geology (July, 1971) Northern Arizona University - USA

Experience

April 1991 - Today	:	Private Business
June 1990 - April 91	:	State Minister of Housing - Kuwait
Jan. 87 - Contd.	:	Kuwait Oil Company - General Superintendent Administration of Wafra Joint Operations of Kuwait Oil Company and Getty Oil Company.

Responsible for four Divisions:

Accounts Division, which handles Budget, Cost Allocation and Contractor Invoices.

Personnel & Training Division, which handles personnel files, vacation actions, grievances in coordination with the two Companies.

Materials Division, which handles storage, receiving and issue of materials needed for Joint Operations.

Contracts Division, which handles tendering and Contracting of all works and services needed for Joint Operations.

April 80 - Jan., 87	:	Kuwait Oil Company - General Superintendent Production Operations.

Responsible for all production activities and facilities in North and West Kuwait which includes maintenance of wells, monitoring of production history, operation of gathering centres, desalters, gas compressors, booster stations as well as other associated activities including Company personnel management, supervision of contractors activities, planning, budget and cost control of said operations.

.2/-

0056

Sept. 79 - April, 80   : Kuwait Oil Company - General Superintendent
                           Production Services
                           (Gas Operation &
                           Gas Engineering).

                         Responsible for operation of facilities related
                         to Gas Production and Gas network of KOC.

April, 78 - Sept., 79   : Kuwait Oil Company - Supdt. Local Relations

                         Responsible for all communication between
                         KOC and all Government Ministries as well as
                         other Companies in Kuwait.

July 76 - March 78   : Development Programme in U.S.A. for post of
                           Deputy General Manager, American Independent
                           Oil Company - Kuwait Operation.

Dec. 75 - July 76   : Ministry of Oil, Assistant to the Assistant
                           Under-Secretary for Economical
                           Affairs.

                         Performed assignments on economical studies.

Dec. 72 - Dec. 75   : Ministry of Oil - Head of Oil Inspection Section -
                           Ahmadi.

                         Responsible for monitoring, checking and centifying
                         oil movements in the areas of Ahmadi, Mina Ahmadi,
                         Wafra, Khafji and Mina Shuaiba.

                         During said period I reorganized the manpower and
                         procedures of the Section.

                         During the period from December, 1972 and June, 73,
                         I had both responsibilities of Oil Inspection and
                         Al-Khafji Office.

June, 72 - June, 73   : Appointed as Kuwait Government representative in
                           the Saudi/Kuwaiti Joint Committee for Partitioned
                           Neutral Zone and Deputy Director for the Kuwait
                           Oil Office of Khafji.

                         Responsible for review and handling of
                         communication, technical reports and other related
                         business between Arabian Oil Company and Kuwait
                         Ministry of Oil. During such period, I established
                         oil Affairs procedures reporting system and contacts,
                         completed staffing and other office requirements.

                                                                    ....3/-

0057

During same period I was appointed for five months as acting representative for Kuwait Ministry of Oil at the PNT Tender Committee, which handles all business related to Contracts and Contractors working for the Oil Companies in Partitioned Neutral Zone.

April 1, 72 - June, 72   : Ministry of Finance and Oil – Staff Geologist at Technical Affairs Department.

COURSES AND DEVELOPMENT PROGRAMMES :

EXTERNAL COURSES :

From	To	Course Title	Organisor	Location
01.07.75	12.03.78	Attachment to Amin Oil Co.	Amin Oil	USA

Special development program which involved on-job-training in financial accounting, training information services, data processing, production engineering, exploration, purchasing and supply economic and planning, and finally as Assistant to Vice President and General Manager of Signal Petroleum, New Orleans.

From	To	Course Title	Organisor	Location
03.03.80	21.03.80	Management Course	Management Centre Europe	Switzerland
04.05.81	07.05.81	Offshore Technology Conference	Geoman	U.S.A.
12.04.82	16.04.82	Gas Compressor Set-Solar CS-4000	Solar Turbines International	U.S.A.
25.04.83	29.04.83	Stimulation of Oil & Gas Wells	Rike Services	U.S.A.
18.06.84	22.06.84	Crude Oil Dehydration & Desalting	Natco	U.S.A.
06.01.86	17.01.86	Surface Production Operations & Equipment.	Rike Services	U.S.A.
06.10.86	10.10.86	Production Optimization Nodal Analysis	Rike Services	U.K.
22.06.87	26.06.87	Executive Leadership Programme	MEIRC	U.K.
18.01.88	22.01.88	Contract Management	BAS Management Services	U.K.
25.01.88	29.01.88	Financial Accounting for Managers	Civil Service College	U.K.
01.02.88	05.02.88	Materials Management	Inst. of Purchasing and Supply	U.K.
30.07.88	13.08.88	FIDIC Contract Formulation & Performance	Centre for Advanced Management Program/ The George Washington University.	U.S.A.

.....4/-

IN-COMPANY COURSES

07.02.81	10.02.81	Effective Planning & Budgeting	Middle East Management & Research Centre
21.12.81	22.12.81	Team Building Workshop	Kuwait Institute for Scientific Research
18.01.82	18.01.82	Safety Training Seminar	ROSPA
24.05.82	26.05.82	Planning, Budgeting Tools & Techniques	MEMRC
13.02.83	16.02.83	Chemistry & Technology of Petroleum	Kuwait University
22.02.83	22.02.83	Executive Seminar	Honeywell Kuwait
05.09.83	05.09.83	SOP Seminar	Kuwait Oil Company
18.04.84	21.04.84	Company Policies & Procedures	Kuwait Oil Company
22.08.84	22.08.84	Desalter Phase 2 Seminar	NATCO
17.11.87	19.11.87	18th Arab Engineering Conference	Kuwait Society of Engineers
17.02.88	17.02.87	Personnel Policy Seminar	Kuwait Oil Company
21.02.88	22.02.88	Application to Personal Computers	MEMCO

24.05.82	26.05.82	Planning, Budgeting Tools & Techniques	MEMRC
13.02.83	16.02.83	Chemistry & Technology of Petroleum	Kuwait University
22.02.83	22.02.83	Executive Seminar	Honeywell Kuwait
05.09.83	05.09.83	SOP Seminar	Kuwait Oil Company
18.04.84	21.04.84	Company Policies & Procedures	Kuwait Oil Company
22.08.84	22.08.84	Desalter Phase 2 Seminar	NATCO
17.11.87	19.11.87	18th Arab Engineering Conference	Kuwait Society of Engineers
17.02.88	17.02.87	Personnel Policy Seminar	Kuwait Oil Company
21.02.88	22.02.88	Application to Personal Computers	MEMCO

0059

주 쿠 웨 이 트 대 사 관

주쿠웨이트(건설) 20671-28   1991. 5. 28

수   신 : 장   관 (참조 : 중동아프리카국장)

          건설부장관(참조 : 건설경제국장)

제   목 : 피해상황 및 복구추진

               연 : KUW - 105(91. 4. 5)

          1. 1990. 8. 발생된 걸프사태로 인한 쿠웨이트의 주요 공공시설 및
대규모 건물의 피해상황을 영국의 전문지 NC & NB (New Civil Engineer
and New Builder) 가 조사한 내용을 토대로 별첨과 같이 보고하오며

          2. 복구공사는 아직까지도 위험물제거, 유정화재진압, 거리청소등
응급복구를 주로 추진하고 있고, 본격적인 복구공사는 하반기 이후에야 착수될
것으로 전망됨을 아울러 보고합니다.

첨   부 : 주요피해내역 1부. 끝.

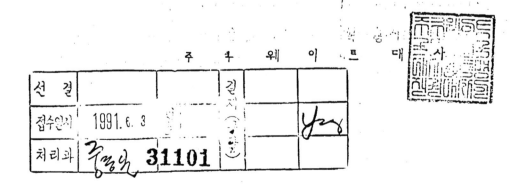

0060

주 여 피 해 내 역

1. 피해정도 분류기준

(1) 구조체에의 큰 피해 - 철거대상

(2) 구조에 가벼운 피해 - 수리가능

(3) 전반적인 외부의 피해 - 창, 단열재 파일 및 외한

(4) 내부에의 큰 피해 - 내부 전시 및 최소여구

(5) 자산품 피해 및 빗지, 에어컨 등 설비파손, 손실

(6) 야립, 파괴로 인한 전시, 보안, 청소 피여

2. 피해 내역

시설도 거물명	피해정도	피해개요	비고
1. 도 로		○ 사우디아라비아 국경으로부터 쿠웨이트 쪽 20 Km 구간	중장비 구간중 전파지역 × 파손
		: 도로의 기층까지 제거되고 가드레일 파손	
2. 고 압	(2) ~ (3)	○ 주 여 가설도로 대부분 온돌트 포장 탈락 및 대제우 기층사 일여	온돌트도로 사용
○ 부여안과 고 압	(4) ~ (6)	○ 2.5 Km 구 가고중 3 개가 파괴	
영하하회고속도로 고 압		○ 지 게 2 m 피해	군 피해 여 분

시설또는 구조물	피해정도	피해개요	비고
○ 지하철고속도로 복구공정	(5)	○ 구조부재에 경미한 피해	
○ 지하철고속도로 남측공정	(5)	○ 난간 및 바닥 슬라브 등에 경미한 피해	
3. 항만			
○ 슈에이스항	(1) — (5)	○ 부두의 크기 가중기 3기 전도(12억 미불소요 (추정) ○ 부두조차 제어실 폭파(1) ○ 선적하역단인 침몰선과, 파피물등 준설자일 피요 ○ 저안시설에 좌룰 밖밖 필요건	
4. 저유시설			
○ 아흐마디저유 공자	(1) — (6)	○ 정유시설 3기중 1기도 완파, 2기는 전기 밖 청소 ○ 가이프펌프 일부 피해	※ 금 년6월부터 5만bpd 생산재개 예정(12만bpd 까지 중 산 예정)
5. 수도			
○ 이나 안돌란	(1) — (3)	○ 거물 냉부과 완전다과되고 펌프도 침수되어 있음	※ 가이저프파손으로 인하여 택키규수시 로 보충하고, 하 수처리비로 시나 곳곳에 악취가 나 고 있음
○ 샤수도 가이자	(1) — (3)	○ 주위 거물 파손	
○ 아즈주루 샤수도 가이자	(3) — (5)	○ 거물 외부 파손(파명의 석채, 노글리드 파손)	
○ 테가 하수처리장	(1) — (2)	○ 3차 처리시설 완전파괴 (시설용량 : 65,000m³/일)	

시설물 또는 기기명	피해정도	피해개요	비고
○ 염소이온화수 처리장	(5) — (6)	○ 펌프 및 기타전장 약탈, 관리중 단과 일부 파괴로 인한 부분 파괴	● 두 웨이브 시하4 여 주처리시설 (95,000 m³/일)
○ 차하타3차 처리장	(5) — (6)	○ 관리미비와 기간전차 파괴 약탈	
6. 발전소 ○ 도하 발전소	(1) — (6)	○ 연료시스템 및 제어시설 파괴 — 동하 발전소 : 태좌소실 파손 및 제어시설 완전파괴 — 서도하 발전소 : 발전기 약탈 1대	
7. 항 ○ 두 웨이브 구 제7부두 항	(1) — (6)	○ 구 청사(터미널1) 파괴 — (1) ○ 건빈실 대수 리 — (4)-(5) ○ 커나고 3개 신한 파손 — (1) — (2) ○ 안 한 쎄비스 건물 — (3) — (4) ○ 화물 터미널 — (3)	항공기 8대도입이… 한항하여 중 항의 하 산하여 각 10항 이상 소 파단 ※ 두 웨이브 는 민간 항공기 15대 존 산 근 거 로
8. 통신시설 ○ 합하타자거리 통신탑	(1) — (2)	○ 어 태평 12층 탄의 4개층이 피커되고 건물 외부파손	

시설물 구분	피해정도	피 해 관 계 여	비 고
○ 하와티-츠리틀 피 아 자거리통신 센타	(3) - (4)	○ 폭탄으로인한 구조의 가벼운 피해	
○ 하화힐빌자거리 통신소	(1) - (2)	○ 이착지로 추기 헬기그것으로 파손	
9. 공공건물			
○ 바안국제외의 청	(3)	○ 약 150 m²의 손실과 상당부분 틀어짐 ○ 로켓트누격으로인한 구조물 일부 파손 ○ 가열시지이부파괴여 거실부분 손실	현재외공으로 임 시 사용 ○(주)한양에서 낙찰근 사시공
○ 국회의사당	(2) - (3)	○ 견회의자 손실 및 틀어짐	
○ 과학하학관	(3) - (4)	○ 낙뷰손실	
○ 구립박물관	(3) - (4)	○ 파괴다한고 낙뷰손실	
○ 라리아사하히장	(3)	○ 17.5 백만 m²의 군개시설 파괴(2년간 제빕불가)	
○ 누에이드돌물한	(4) - (6)	○ 건물예 탄흔 (이핧집몿중 관리태난) ○ 총 단 100 m²의 4층의 전체지으로 틀어짐 ○ 이사이 6방의 피카으로 외뷰철근노출과 창문 파손 ○ 임부 뱌소실과 3층의 전면지 제뱌비여	
○ 개발부건물	(3)	○ 내뷰 및 환가시설 신싱소여	
○ 여우무건물	(2)	○ 대뷰분의 낙뷰손실	시뗴행인지

시설 또는 기능	피해정도	피해개요	비고
ㅇ 아몬드 알 자 회전 구동부	(2) - (3)	ㅇ 이라크군과 다국적군에 의하여 구조에 큰 피해	
ㅇ 쿠웨이트 타워	(5)	ㅇ 비행운 일세탑 약탈(시물 레이타등 제어실비 약탈) ㅇ 2개탑중 탑의 여버판 일부 파손(내부 피해 미상)	쿠웨이트의 상징 미사 테크 소 제
ㅇ 국립중앙 전시장	(2) - (3)	ㅇ 소실의 가능성	
10. 항 중			
ㅇ 다스만 궁	(5) - (6)	ㅇ 구조상 큰 피해 있음	왕의 거소(전거점) 왕의 소재
ㅇ 수 산 청	(4) - (6)	ㅇ 반소실 1개의 카펫, 기구, 벽 걸이, 장식도 약탈 ㅇ 2층중 1층은 내부 까지 심한 소각과 기물립 미·지붕 까지 구조상 피해	최근에 완공됨 가치 희귀한 궁
ㅇ 지하철 중	(5)	ㅇ 다른 1동은 창생지붕 타일의 30%가 날라가고 내부의 심한 약탈	
ㅇ 시브 궁	(3) - (4)	ㅇ 가구, 장식품 약탈	
11. 호 텔		ㅇ 파괴당하고 약탈 및 피를립 피해	
ㅇ 인터내셔날 호텔	(4) - (5)	ㅇ 8층의 전면 소실 ㅇ 전반 일부 소실	쿠웨이트 피해 : 5,2백만 미불
ㅇ 쉐라톤 호텔	(1) - (2)	ㅇ 1층 심한 소실 ㅇ 로비트 파괴, 창고 술, 고의런 연도 진미전의 제거축이	전병이 타군이 숙영 했음

구 분	피해등급	피 해 내 용	비 고
ㅇ 메리디안호텔	(3)	ㅇ 1층 내외벽 소실, 외벽철재파괴와 내부파손이 있으나 구조상 피해는 없어 보임	약탈 후 방화한 것 으로 추정
ㅇ 게스타비치호텔	(1)-(2)	ㅇ 기둥에 화약장전 폭파	
ㅇ 하이아트리젠시 팰리스호텔	(4)-(5)	ㅇ 많은 주조부위 피해여 소실 및 끼으림	
ㅇ 에어포트호텔	(3)-(4)	ㅇ 외벽 10%정도의 끼으림	
ㅇ 게릿옷마리나 호텔	(3)-(4)	ㅇ 심한 소실과 창만 파괴 미 끼으림	
ㅇ 힐튼데이아인호텔	(5)	ㅇ 내부의 부분적 파손과 심한 끼으림	
ㅇ 키란.리죠트 호텔	(5)-(6)	ㅇ 가벼운 외부 피해	
12. 기 타		ㅇ 내부시설,비품,가구도 약탈 추정	
ㅇ 쉐헤이트 기술 사정	(5)-(6)	ㅇ 건물피해 없으나 장비,서적,기구 등 약탈	
ㅇ 쉐헤이트 대항트	(5)-(6)	ㅇ 건물피해 없으나 실험장비,도서,가구 등 약탈	
ㅇ 사우디민사관	(3)-(4)	ㅇ 관저소실	

주 미 대 사 관

미국(건)762-**1246**

1991. 5. 31.

수신 : 장관(경일, 중동일)

참조 : 건설부장관

제목 : 해외 건설협회장 방미 결과 보고

대 : WUS-1903

해외 건설협회 홍순길 회장 일행은 91. 5.19일 당지에 도착,
New York, Washington D.C.및 Los Angeles 등지의 출장 업무를 마치고
예정대로 91. 5.29일 귀국하였는바, 동 일행의 방미 기간중 주요 면담자 및
성과를 요약 보고함.

1. 주요 면담자

0 뉴욕 (1991. 5.20)

- 아국 진출 건설업체 간담회 개최

- UN 대사 예방

0 와싱톤 D.C. (1991. 5.21-23)

- Mr. Frederick Volcansek 면담
  Deputy Assistant Secretary
  Basic Industries US Department of Commerce

- Mr. Karl Reiner 면담
  Director of Gulf Reconstruction Center
  U.S. Department of Commerce

- Mr. Michael Owen 면담
  Principal Deputy Assistant
  Secretary of U.S. Army

0067

- BG Eugene Witherspoon 면담
  Commander, Transatrantic Division (대서양사단 사단장)
  U.S. Army Corp of Engineers

- Mr. Cecil Hutchison 면담
  Director, Contracting Division
  Transatractic Division, U.S. Army Corp of Engineers

- Mr. David Lukens 면담
  Executive Director
  The Associated Gneral Contractors of America(AGC)

- Mr. Terry Chamberlain 면담
  Director, International Construction Division(AGC)

- Mr. Arthur Culvahouse, Jr.   면담
  Attorneys at law,
  O'Melveny & Myers

- 주미 대사 예방

0   L.A. (1991. 5.28)

- Mr. Joel Vennett 면담
  Vice President, Parsons Corp

- Mr. Jack Brent 면담
  President, Braun-Root-Brawn Corp.

0068

2. 주요 성과

   0 미 상무성 Gulf Reconstruction Center로 부터의 차후 각종
     정보자료 지원

   0 대서양 사단에서는 아국 건설업체의 현지 경험등 우수성을 인지하고
     차후 쿠웨이트 전후 복구사업 참여 업체의 자격 심사시 고려

   0 걸프 전쟁으로 인한 이락내에서의 아국 건설업체 피해 보상, 청구
     방법 강구

     - UN 안전보장이상회의 결정(현 추진중임)에 의해 걸프전쟁으로
       인한 피해국은 그 피해액을 U.N. 에 신고해야 보상 받음.

   0 아국 건설업체의 해외 건설경험등 우수성을 미국내 관련 정부기관,
     협회 및 건설회사에 홍부

3. 쿠웨이트 전후 복구사업에 관련 정보자료 회득

   0 쿠웨이트 전후 복구사업의 지연 : 당초 5월말 예정이 9월말까지
                                      지연될 예정

     - 정치적 불안
     - 유정의 발화로 인한 매연등 환경조건 악화
     - 복구를 위한 수입원의 부족

   0 긴급 복구 완료시 해외거주 쿠웨이트 국민의 귀국시는 이에 수반되는
     주택(약 35,000세대)과 그부속 Utility 의 확충등 신규 건설공사 발생 예상

첨부 : U.N.안전보장이사회 결의안 687호사본 1부 끝.

              주   미   대

                                                        0069

d) Provide all information and assistance in identifying Iraqi mines, booby traps and other explosives as well as any chemical and biological weapons and material in Kuwait, in areas of Iraq where forces of Member States cooperating with Kuwait pursuant to resolution 678 (1990) are present temporarily, and in the adjacent·waters;

4. Recognizes that during the period required for Iraq to comply with paragraphs 2 and 3 above, the provisions of paragraph 2 of resolution 678 (1990) remain valid;

5. Welcomes the decision of Kuwait and the Member States cooperating with Kuwait pursuant to resolution 678 (1990) to provide access and to commence immediately the release of Iraqi prisoners of war as required by the terms of the Third Geneva Convention of 1949, under the auspices of the International Committee of the Red Cross;

6. Requests all Member States, as well as the United Nations, the specialized agencies and other international organizations in the United Nations system, to take all appropriate action to cooperate with the Government and people of Kuwait in the reconstruction of their country;

7. Decides that Iraq shall notify the Secretary-General and the Security Council when it has taken the actions set out above;

8. Decides that in order to secure the rapid establishment of a definitive end to the hostilities, the Security Council remains actively seized of the matter.

RESOLUTION 687
3 APRIL 1991

The Security Council,

Recalling its resolutions 660 (1990), 661 (1990), 662 (1990), 664 (1990), 665 (1990), 666 (1990), 667 (1990), 669 (1990), 670 (1990), 674 (1990), 677 (1990), 678 (1990) and 686 (1991),

Welcoming the restoration to Kuwait of its sovereignty, independence, and territorial integrity and the return of its legitimate government,

Affirming the commitment of all Member States to the sovereignty, territorial integrity and political independence of Kuwait and Iraq, and noting the intention expressed by the Member States cooperating with Kuwait under paragraph 2 of resolution 678 (1990) to bring their military presence in Iraq to an end as soon as possible consistent with paragraph 8 of resolution 686 (1991),

Reaffirming the need to be assured of Iraq's peaceful intentions in light of its unlawful invasion and occupation of Kuwait,

Taking note of the letter sent by the Foreign Minister of Iraq on 27 February 1991 (S/22275) and those sent pursuant to resolution 686 (1991) (S/22273, S/22276, S/22320, S/22321 and S/22330),

Noting that Iraq and Kuwait, as independent sovereign States, signed at Baghdad on 4 October 1963 "Agreed Minutes Regarding the Restoration of Friendly Relations, Recognition and Related Matters", thereby recognizing formally the boundary between Iraq and Kuwait and the allocation of islands, which were registered with the United Nations in accordance with Article 102 of the Charter and in which Iraq recognized the independence and complete sovereignty of the State of Kuwait within its borders as specified and accepted in the letter of the Prime Minister of Iraq dated 21 July 1932, and as accepted by the Ruler of Kuwait in his letter dated 10 August 1932,

Conscious of the need for demarcation of the said boundary,

Conscious also of the statements by Iraq threatening to use weapons in violation of its obligations under the Geneva Protocol for the Prohibition of the Use in War of Asphyxiating, Poisonous or Other Gases, and of Bacteriological Methods of Warfare, signed at Geneva on 17 June 1925, and of its prior use of chemical weapons and affirming that grave consequences would follow any further use by Iraq of such weapons,

15

Recalling that Iraq has subscribed to the Declaration adopted by all States participating in the Conference of States Parties to the 1925 Geneva Protocol and Other Interested States, held at Paris from 7 to 11 January 1989, establishing the objective of universal elimination of chemical and biological weapons,

Recalling further that Iraq has signed the Convention on the Prohibition of the Development, Production and Stockpiling of Bacteriological (Biological) and Toxin Weapons and on Their Destruction, of 10 April 1972,

Noting the importance of Iraq ratifying this Convention,

Noting moreover the importance of all States adhering to this Convention and encouraging its forthcoming Review Conference to reinforce the authority, efficiency and universal scope of the Convention,

Stressing the importance of an early conclusion by the Conference on Disarmament of its work on a Convention on the Universal Prohibition of Chemical Weapons and of universal adherence thereto,

Aware of the use by Iraq of ballistic missiles in unprovoked attacks and therefore of the need to take specific measures in regard to such missiles located in Iraq,

Concerned by the reports in the hands of Member States that Iraq has attempted to acquire materials for a nuclear-weapons programme contrary to its obligations under the Treaty on the Non-Proliferation of Nuclear Weapons of 1 July 1968,

Recalling the objective of the establishment of a nuclear-weapon-free zone in the region of the Middle East,

Conscious of the threat which all weapons of mass destruction pose to peace and security in the area and of the need to work towards the establishment in the Middle East of a zone free of such weapons,

Conscious also of the objective of achieving balanced and comprehensive control of armaments in the region,

Conscious further of the importance of achieving the objectives noted above using all available means, including a dialogue among the States of the region,

Noting that resolution 686 (1991) marked the lifting of the measures imposed by resolution 661 (1990) in so far as they applied to Kuwait,

Noting that despite the progress being made in fulfilling the obligations of resolution 686 (1991), many Kuwaiti and third country nationals are still not accounted for and property remains unreturned,

Recalling the International Convention against the Taking of Hostages, opened for signature at New York on 18 December 1979, which categorizes all acts of taking hostages as manifestations of international terrorism,

Deploring threats made by Iraq during the recent conflict to make use of terrorism against targets outside Iraq and the taking of hostages by Iraq,

Taking note with grave concern of the reports of the Secretary-General of 20 March 1991 (S/22366) and 28 March 1991 (S/22409), and conscious of the necessity to meet urgently the humanitarian needs in Kuwait and Iraq,

Bearing in mind its objective of restoring international peace and security in the area as set out in recent Council resolutions,

Conscious of the need to take the following measures acting under Chapter VII of the Charter,

1. *Affirms* all thirteen resolutions noted above, except as expressly changed below to achieve the goals of this resolution, including a formal cease-fire;

A

2. *Demands* that Iraq and Kuwait respect the inviolability of the international boundary and the allocation of islands set out in the "Agreed Minutes Between the State of Kuwait and the Republic of Iraq Regarding the Restoration of Friendly Relations, Recognition and Related

16

0071

Matters", signed by them in the exercise of their sovereignty at Baghdad on 4 October 1963 and registered with the United Nations and published by the United Nations in document 7063, United Nations Treaty Series, 1964;

3. *Calls on* the Secretary-General to lend his assistance to make arrangements with Iraq and Kuwait to demarcate the boundary between Iraq and Kuwait, drawing on appropriate material including the map transmitted by Security Council document S/22412 and to report back to the Security Council within one month;

4. *Decides* to guarantee the inviolability of the above-mentioned international boundary and to take as appropriate all necessary measures to that end in accordance with the Charter;

B

5. *Requests* the Secretary-General, after consulting with Iraq and Kuwait, to submit within three days to the Security Council for its approval a plan for the immediate deployment of a United Nations observer unit to monitor the Khor Abdullah and a demilitarized zone, which is hereby established, extending 10 kilometres into Iraq and 5 kilometres into Kuwait from the boundary referred to in the "Agreed Minutes Between the State of Kuwait and the Republic of Iraq Regarding the Restoration of Friendly Relations, Recognition and Related Matters" of 4 October 1963; to deter violations of the boundary through its presence in and surveillance of the demilitarized zone; to observe any hostile or potentially hostile action mounted from the territory of one State to the other; and for the Secretary-General to report regularly to the Council on the operations of the unit, and immediately if there are serious violations of the zone or potential threats to peace;

6. *Notes* that as soon as the Secretary-General notifies the Council of the completion of the deployment of the United Nations observer unit, the conditions will be established for the Member States cooperating with Kuwait in accordance with resolution 678 (1990) to bring

their military presence in Iraq to an end consistent with resolution 686 (1991);

C

7. *Invites* Iraq to reaffirm unconditionally its obligations under the Geneva Protocol for the Prohibition of the Use in War of Asphyxiating, Poisonous or Other Gases, and of Bacteriological Methods of Warfare, signed at Geneva on 17 June 1925, and to ratify the Convention on the Prohibition of the Development, Production and Stockpiling of Bacteriological (Biological) and Toxin Weapons and on Their Destruction, of 10 April 1972;

8. *Decides* that Iraq shall unconditionally accept the destruction, removal, or rendering harmless, under international supervision, of:

a) all chemical and biological weapons and all stocks of agents and all related subsystems and components and all research, development, support and manufacturing facilities;

b) all ballistic missiles with a range greater than 150 kilometres and related major parts, and repair and production facilities;

9. *Decides,* for the implementation of paragraph 8 above, the following:

a) Iraq shall submit to the Secretary-General, within fifteen days of the adoption of this resolution, a declaration of the locations, amounts and types of all items specified in paragraph 8 and agree to urgent, on-site inspection as specified below;

b) the Secretary-General, in consultation with the appropriate Governments and, where appropriate, with the Director-General of the World Health Organization (WHO), within 45 days of the passage of this resolution, shall develop, and submit to the Council for approval, a plan calling for the completion of the following acts within 45 days of such approval:

i) the forming of a Special Commission, which shall carry out immediate on-site inspection of Iraq's biological, chemical and missile capabilities, based on Iraq's declarations and the designation of any additional locations by the Special Commission itself;

17

0072

ii) the yielding by Iraq of possession to the Special Commission for destruction, removal or rendering harmless, taking into account the requirements of public safety, of all items specified under paragraph 8 (a) above including items at the additional locations designated by the Special Commission under paragraph 9 (b) (i) above and the destruction by Iraq, under supervision of the Special Commission, of all its missile capabilities including launchers as specified under paragraph 8 (b) above;

iii) the provision by the Special Commission of the assistance and cooperation to the Director-General of the International Atomic Energy Agency (IAEA) required in paragraphs 12 and 13 below;

10. Decides that Iraq shall unconditionally undertake not to use, develop, construct or acquire any of the items specified in paragraphs 8 and 9 above and requests the Secretary-General, in consultation with the Special Commission, to develop a plan for the future ongoing monitoring and verification of Iraq's compliance with this paragraph, to be submitted to the Council for approval within 120 days of the passage of this resolution;

11. Invites Iraq to reaffirm unconditionally its obligations under the Treaty on the Non-Proliferation of Nuclear Weapons, of 1 July 1968;

12. Decides that Iraq shall unconditionally agree not to acquire or develop nuclear weapons or nuclear-weapons-usable material or any subsystems or components or any research, development, support or manufacturing facilities related to the above; to submit to the Secretary-General and the Director-General of the International Atomic Energy Agency (IAEA) within 15 days of the adoption of this resolution a declaration of the locations, amounts, and types of all items specified above; to place all of its nuclear-weapons-usable materials under the exclusive control, for custody and removal, of the IAEA, with the assistance and cooperation of the Special Commission as provided for in the plan of the Secretary-General discussed in paragraph 9 (b) above; to accept, in accordance with the arrangements provided for in paragraph 13 below, urgent on-site inspection and the de-

struction, removal, or rendering harmless as appropriate of all items specified above; and to accept the plan discussed in paragraph 13 below for the future ongoing monitoring and verification of its compliance with these undertakings;

13. Requests the Director-General of the International Atomic Energy Agency (IAEA) through the Secretary-General, with the assistance and cooperation of the Special Commission as provided for in the plan of the Secretary-General in paragraph 9 (b) above, to carry out immediate on-site inspection of Iraq's nuclear capabilities based on Iraq's declarations and the designation of any additional locations by the Special Commission; to develop a plan for submission to the Security Council within 45 days calling for the destruction, removal, or rendering harmless as appropriate of all items listed in paragraph 12 above; to carry out the plan within 45 days following approval by the Security Council; and to develop a plan, taking into account the rights and obligations of Iraq under the Treaty on the Non-Proliferation of Nuclear Weapons, of 1 July 1968, for the future ongoing monitoring and verification of Iraq's compliance with paragraph 12 above, including an inventory of all nuclear material in Iraq subject to the Agency's verification and inspections to confirm that IAEA safeguards cover all relevant nuclear activities in Iraq, to be submitted to the Council for approval within 120 days of the passage of this resolution;

14. Takes note that the actions to be taken by Iraq in paragraphs 8, 9, 10, 11, 12 and 13 of this resolution represent steps towards the goal of establishing in the Middle East a zone free from weapons of mass destruction and all missiles for their delivery and the objective of a global ban on chemical weapons;

D

15. Requests the Secretary-General to report to the Security Council on the steps taken to facilitate the return of all Kuwaiti property seized by Iraq, including a list of any property which Kuwait claims has not been returned or which has not been returned intact;

18

0073

E

16. Reaffirms that Iraq, without prejudice to the debts and obligations of Iraq arising prior to 2 August 1990, which will be addressed through the normal mechanisms, is liable under international law for any direct loss, damage, including environmental damage and the depletion of natural resources, or injury to foreign Governments, nationals and corporations, as a result of Iraq's unlawful invasion and occupation of Kuwait;

17. Decides that all Iraqi statements made since 2 August 1990, repudiating its foreign debt, are null and void, and demands that Iraq scrupulously adhere to all of its obligations concerning servicing and repayment of its foreign debt;

18. Decides to create a Fund to pay compensation for claims that fall within paragraph 16 above and to establish a Commission that will administer the Fund;

19. Directs the Secretary-General to develop and present to the Council for decision, no later than 30 days following the adoption of this resolution, recommendations for the Fund to meet the requirement for the payment of claims established in accordance with paragraph 18 above and for a programme to implement the decisions in paragraphs 16, 17, and 18 above, including: administration of the Fund; mechanisms for determining the appropriate level of Iraq's contribution to the Fund based on a percentage of the value of the exports of petroleum and petroleum products from Iraq not to exceed a figure to be suggested to the Council by the Secretary-General, taking into account the requirements of the people of Iraq, Iraq's payment capacity as assessed in conjunction with the international financial institutions taking into consideration external debt service, and the needs of the Iraqi economy; arrangements for ensuring that payments are made to the Fund; the process by which funds will be allocated and claims paid; appropriate procedures for evaluating losses, listing claims and verifying their validity and resolving disputed claims in respect of Iraq's liability as specified in paragraph 16 above; and the composition of the Commission designated above;

F

20. Decides, effective immediately, that the prohibitions against the sale or supply to Iraq of commodities or products other than medicine and health supplies, and prohibitions against financial transactions related thereto, contained in resolution 661 (1990) shall not apply to foodstuffs notified to the Committee established by resolution 661 (1990) or, with the approval of that Committee, under the simplified and accelerated "no-objection" procedure, to materials and supplies for essential civilian needs as identified in the report of the Secretary-General dated 20 March 1991 (S/22366), and in any further findings of humanitarian need by the Committee;

21. Decides that the Council shall review the provisions of paragraph 20 above every sixty days in light of the policies and practices of the Government of Iraq, including the implementation of all relevant resolutions of the Security Council, for the purpose of determining whether to reduce or lift the prohibitions referred to therein;

22. Decides that upon the approval by the Council of the programme called for in paragraph 19 above and upon Council agreement that Iraq has completed all actions contemplated in paragraphs 8, 9, 10, 11, 12, and 13 above, the prohibitions against the import of commodities and products originating in Iraq and the prohibitions against financial transactions related thereto contained in resolution 661 (1990) shall have no further force or effect;

23. Decides that, pending action by the Council under paragraph 22 above, the Committee established under resolution 661 (1990) shall be empowered to approve, when required to assure adequate financial resources on the part of Iraq to carry out the activities under paragraph 20 above, exceptions to the prohibition against the import of commodities and products originating in Iraq;

24. Decides that, in accordance with resolution 661 (1990) and subsequent related resolutions and until a further decision is taken by the Council, all States shall continue to prevent the sale or supply, or promotion or facilitation of

19

0074

such sale or supply, to Iraq by their nationals, or from their territories or using their flag vessels or aircraft, of:

a) arms and related *matériel* of all types, specifically including the sale or transfer through other means of all forms of conventional military equipment, including for paramilitary forces, and spare parts and components and their means of production, for such equipment;

b) items specified and defined in paragraph 8 and paragraph 12 above not otherwise covered above;

c) technology under licensing or other transfer arrangements used in the production, utilization or stockpiling of items specified in subparagraphs (a) and (b) above;

d) personnel or materials for training or technical support services relating to the design, development, manufacture, use, maintenance or support of items specified in subparagraphs (a) and (b) above;

25. *Calls upon* all States and international organizations to act strictly in accordance with paragraph 24 above, notwithstanding the existence of any contracts, agreements, licences, or any other arrangements;

26. *Requests* the Secretary-General, in consultation with appropriate Governments, to develop within 60 days, for approval of the Council, guidelines to facilitate full international implementation of paragraphs 24 and 25 above and paragraph 27 below, and to make them available to all States and to establish a procedure for updating these guidelines periodically;

27. *Calls upon* all States to maintain such national controls and procedures and to take such other actions consistent with the guidelines to be established by the Security Council under paragraph 26 above as may be necessary to ensure compliance with the terms of paragraph 24 above, and calls upon international organizations to take all appropriate steps to assist in ensuring such full compliance;

28. *Agrees* to review its decisions in paragraphs 22, 23, 24, and 25 above, except for

the items specified and defined in paragraphs 8 and 12 above, on a regular basis and in any case 120 days following passage of this resolution, taking into account Iraq's compliance with this resolution and general progress towards the control of armaments in the region;

29. *Decides* that all States, including Iraq, shall take the necessary measures to ensure that no claim shall lie at the instance of the Government of Iraq, or of any person or body in Iraq, or of any person claiming through or for the benefit of any such person or body, in connection with any contract or other transaction where its performance was affected by reason of the measures taken by the Security Council in resolution 661 (1990) and related resolutions;

G

30. *Decides* that, in furtherance of its commitment to facilitate the repatriation of all Kuwaiti and third country nationals, Iraq shall extend all necessary cooperation to the International Committee of the Red Cross, providing lists of such persons, facilitating the access of the International Committee of the Red Cross to all such persons wherever located or detained and facilitating the search by the International Committee of the Red Cross for those Kuwaiti and third country nationals still unaccounted for;

31. *Invites* the International Committee of the Red Cross to keep the Secretary-General apprised as appropriate of all activities undertaken in connection with facilitating the repatriation or return of all Kuwaiti and third country nationals or their remains present in Iraq on or after 2 August 1990;

H

32. *Requires* Iraq to inform the Council that it will not commit or support any act of international terrorism or allow any organization directed towards commission of such acts to operate within its territory and to condemn unequivocally and renounce all acts, methods, and practices of terrorism;

20

33. Declares that, upon official notification by Iraq to the Secretary-General and to the Security Council of its acceptance of the provisions above, a formal cease-fire is effective between Iraq and Kuwait and the Member States cooperating with Kuwait in accordance with resolution 678 (1990);

34. Decides to remain seized of the matter and to take such further steps as may be required for the implementation of this resolution and to secure peace and security in the area.

RESOLUTION 689
9 APRIL 1991

The Security Council,

Recalling its resolution 687 (1991),

Acting under Chapter VII of the Charter of the United Nations,

1. Approves the report of the Secretary-General on the implementation of paragraph 5 of Security Council resolution 687 (1991) contained in document S/22454 and Add.1-3 of 5 and 9 April 1991, respectively;

2. Notes that the decision to set up the observer unit was taken in paragraph 5 of resolution 687 (1991) and can only be terminated by a decision of the Council; the Council shall therefore review the question of termination or continuation every six months;

3. Decides that the modalities for the initial six-month period of the United Nations Iraq-Kuwait Observation Mission shall be in accordance with the above-mentioned report and shall also be reviewed every six months.

21

0076

분류기호 문서번호	중동일 720- 1413	기 안 용 지 (720-2327)		시 행 상 특별취급	
보존기간	영구.준영구 10. 5. 3. 1	장		관	
수 신 처 보존기간					
시행일자	1991. 6. 3.				

보조 기관	국 장	전결	협 조 기 관		문 서 통 제
	심의관				
	과 장				
기안책임자		이 창 우			발 송 인
경 유 수 신 참 조		주 쿠웨이트 대사	발신명의		
제 목		국산 군장비 카타로그 송부			

대 : KUW - 0219

1. 대호 요청자료중 아국산 각종 군장비 카타로그를 별첨 송부하니

   주재국 군장비 수주에 적의 활용하시기 바랍니다.

2. 대호 요청사항중 SOFA 협정 사본, 한.미연합사조직등 관계 자료는

   별도 송부될 예정이나, 군장비 각품목 및 샘플은 현재 국방부측의

／ 계 속 . . .

0077

걸프사태 : 전후복구사업 참여, 1991-92. 전6권 (V.5 1991.4-12월)　83

미확보로 송부가 불가능함을 첨언합니다.

첨　부　:　상기 군장비 카탈로그 2부.　끝.

0078

외   무   부

종   별 :

번   호 : KUW-0275   일   시 : 91 0611 1600

수   신 : 장관(중동일)

발   신 : 주 쿠웨이트대사

제   목 : 킨테이너 기중기

연:KUW-238

대:중동일 720-15961

1. 6.11 온참사관이 쿠웨이트 항만청 AL-RASHOOD 차장과 면담을갖고, 연호 4항
기중기 - 입찰방법과 입찰일자 등을 문의 하였더니, 동차장은 금년 7월
쿠웨이트일간지에 입찰공고를 계제할 예정이라고 하면서 동입찰은 공개경쟁 방식이기
때문에 기중기 관계 모든 회사들의 참여를 바란다고 함.

2. 입찰공고가 계재되면 다시 보고 하겠으나, 그동안 한중에 연락, 상기 내용을
통보바람.
                                끝

          (대사 - 국장)

중아국   경제국   통상국

PAGE 1   91.06.12   05:36 DA
                                                            외신 1과 통제관

외   무   부

종   별 : 지급

번   호 : KUW-0281   일   시 : 91 0612 1300

수   신 : 장관(중동일,통일,총인)

발   신 : 주 쿠웨이트 대사

제   목 : 출장허가 신청

　　　쿠웨이트의 주요 수입업자들이 다수 두바이에서 활동중이고 또한 두바이 현지상사
및 상공회의소 등이 쿠웨이트에 대한 상품교역에 직접적으로 관여하고 있는
사정등으로 두바이에 출장하여 관련 사정조사및 주 UAE 대사관, 두바이무역관등
우리측 관계기관과의 관련사항 협의및 정보교환을 위하여 두바이에 6.19-6.21 간
출장코자 하니 허가하여 주시기바람.(예산지원 불요). 끝

　　　(대사-국장)

중아국　　종무과　　통상국

91.06.12   23:11
　　　　　　　　　　　　　　　　　　　　　　　　　　　　　　외신 2과 통제관 CF

0080

외 무 부

종   별 :

번   호 : KUW-0298   일   시 : 91 0618 1430

수   신 : 장관(중동일,통이)

발   신 : 주 쿠웨이트대사

제   목 : 쿠웨이트 공공 교통수단 보충계획

1. 쿠웨이트 공공교통공사 (KUWAIT PUBLIC TRANSPOTATIONCO,) 는 전전 1500대의학교통학 버스와 1,400대의 공공버스를 보유 운행하고 있었는데, 2,550대가 이라크군에 의해 약탈 당했고 50대가 사용불능하게 파괴되어 현재는 300대만이 운행하고있으며, 전전 12척의 연안 수송선도 3척만이 보존되고 있음. (온참사관 조사결과)

2. 6.18 온참사관이 공공교통공사 AL-NAJIAR 기술및 해운담당사장보와 면담을 갖고, 상기 공공교통수단 보충계획을 문의하고 현대,대우및기아등 우리버스및 선박제조회사 를 소개하였는데, 동 사장보는 지난 4월 인도 TARA회사및 오지리 회사와 각기 166대 및 150대의 버스 긴급공급 계약을 체결 하였음으로 기존 300대와 신규도입 300대등 600대 로서 현재로서는 충분할것으로 생각되나 시일이 경과하면 추가수요가 있을것으로 판단되어 92.2-4 기간에 100여대를 추가 도입할 계획임으로 한국버스 제조회사가 이에 관심을 갖고 카타로그를 송부해주는 한편, 회사간부들과의 구체적 상담도 갖기를 희망한다고 언급함. 구매방법은 경쟁입찰이 아니고 수의계약이 될것이라고 하였음.

3. 동인은 5년전 현대조선을 방문하여 그시설이 규모와 능율을 잘알고 있음으로현대건설등이 제조할수 있는 연안 수송선의 카타록도 아울러 보내주기를 바란다고 하였음.

4. 동인은 또 인도, 헝가리, 독일, 스웨덴, 싱가폴등 버스제조회사 간부들이동 공사측과 긴밀히 접촉하고 있다고 하면서 한국버스 회사들과의 접촉도 희망한다고 하였음.

5. 우리버스 제작회사들도 위 2항에 관심을 갖도록 조치하여 주고, 위에 언급한카타록을 최선 파편에 송부바람.

중아국   2차보   통상국

(90년초에 우리버스 카타록를 시장개척 목적으로 제공한 일이 있으나 전쟁으로유실).

끝

(대사-국장)

주 쿠 웨 이 트 대 사 관

쿠웨이트(경)2582-45   1991. 6.   22.

수 신 : 장   관
참 조 : 아·중동국장, 통상국장
제 목 : 쿠웨이트 복구 사업 현황과 전망 및 그 대책

　　　쿠웨이트의 전후 복구사업 진행과 관련하여 그동안 당관이 관찰한 바
를 표제와 같이 작성 제출하니 업무에 참고하시기 바랍니다.

유 첨 : 쿠웨이트 복구 사업 현황과 전망 및 그 대책   끝.

　　　　　　　　　　　　　　주 쿠 웨 이 트   대

0083

쿠 웨 이 트 복 구 사 업 현 황 과 전 망 및 그 대 책

1991. 6. 22.

주 쿠 웨 이 트 대 사 관

쿠웨이트 복구사업 현황과 전망 및 대책

1. 피해현황

- 수복직후 미국 공병단이 쿠웨이트 정부의 의뢰로 700여개의 공공건물을 정밀하게 조사한 결과, 구조자체를 철거하거나 변경해야 할 만큼 큰 손상을 입은 것은 별로 많지않고, 이라크군의 약탈과 부분적 방화에 의해 내부설비만이 상당부분 손상을 받은 것으로 나타났음.

- 도로, 교량, 발전소, 항만, 통신시설 및 기타 소위 Infrastructure 파손도 당초 예상했던 것보다 크지 않은데, 이는 연합군측이 Smart 탄을 사용했기 때문이며, 이로서 앞으로 이들 시설에대한 보수 및 내장공사만이 시행될 것으로 보임.

- 그러나 600개의 유전이 파괴되었고, 500여개의 유전은 방화되었으며, 송유 및 정유시설의 상당부분이 손상을 입는 한편, 모든 군사시설이 전파되었음.

- 따라서 원유시설과 군사시설만이 큰 손상을 입었고, 쿠웨이트정부로서도 이를 우선적으로 복구 또는 수리해야 할 것임으로 원유 및 군사시설복구 이외의 공사는 장기간에 걸쳐 완만하게 시행될 것으로 보이는 바, 이의 복구 및 수리에 소요되는 경비는 당초 예상과는 달리 향후 5년간에 걸쳐 200 - 300억정도가 될 것으로 전문가들은 전망하고 있음.

2. 복구현황

가. 긴급 복구 계획

- 쿠웨이트정부는 수복과 더불어 미국 공병단과의 협력으로 90일간의 긴급복구 계획안을 마련, 급수, 전기, 통신을 정상화시키기위한 노력을 기울이는 한편 매설된 지뢰와 어뢰를 제거하고, 이라크군이 패주시 방기한 각종무기와 차량수거 등 청소에 주력함으로써 비교적 빠른 기간내에 쿠웨이트를 정상화시킬 수 있었음.

- 쿠웨이트정부는 상기 긴급복구 계획안에 따라 3월초 2.7천만불, 4월말

- 1 -

0085

2천만불, 5월중순 3천만불을 각각 미국 공병단에 발주 하였고, 이와는 별도로 3월말 6억불에 달하는 200건의 긴급 복구공사 계약을 체결하였는데, 이중 4억불은 미국회사에 발주 되었고, 이타 2억불은 영국,불란서,이태리,사우디,독일회사에 분활 발주 되었음.

  - 이중 가장 큰 공사는 하수도 처리장 재건을 위한 공사인데, 독일의 Siemens 와 계약하였는 바, 이밖 미국회사들의 주요 수주내용은 아래와 같음.

  ° OMI Corp   : 2천만불 구조물 재건
  ° Caterpilla MC   : 1.8천만불 발전소 긴급수리
  ° AT & T   : 1.7천만불 전화 긴급복구공사
  ° CSX Erp   : 1.5천만불 공항 및 항만 화물취급소 수리
  ° I B M   : 1.2천만불 정부기관 및 은행 컴퓨터 수리
  ° G M C   : 7백만불 승용차 긴급 구매

나. 중·장기 복구계획

  - 긴급복구 계획을 통해 사회 전반에 걸친 정상화를 위한 기초작업을 진행하는 한편, 91. 7월중 각료회의에서 중·장기 복구 계획안이 확정될 예정이고, 이에따라 91 - 92년간 소요경비로 약 100억불이 배정될 것으로 보임.

  - 동 중·장기 계획안중 우선순위는 군사시설 설치와 비행장,항만,정부청사 수리 및 복구인데, 유전화재 진화 및 원유시설복구 및 수리는 중·장기 복구 계획안과는 별도로 긴급 계획안에 따라 시행될 것으로 보임.

  - 따라서 91년 하반기 또는 92년 상반기부터는 중·장기 복구 계획안에 따른 공사가 발주될 것으로 예상되고 있으나, 이득을 찾기위해 매사를 완만하게 진행시키는 것이 쿠웨이트인의 특성임을 고려할 때 원유 및 군사시설외의 이타 복구 및 수리공사 발주가 신속하게 이루어질지 여부는 예측할 수 없다는 것이 쿠웨이트 체류중인 전문가들의 의견임. 또한 석유수출을 본격적으로 다시 하게될때까지는 대규모 지출사업은 외채시장에서 기채해야되는 문제도 있어서 가능하면 자기자본으로 복구공사를 수행한다는 방침때문이기도 함.

- 2 -

3. 상품 수요 증가 기대

가. 내장제 수요증가 예상

- 대부분의 공공건물과 기타 구조물등의 내부장식 및 가구등이 이라크군에 의해 광폭하게 약탈당했기 때문에 이에대한 수요는 큰데, 당초 예상했던 것보다 전후 복구공사가 많지 않은데다가 복구공사와 관련한 쿠웨이트 정부의 지지부진한 태도로 인하여 미국등 각국은 이러한 물품에 큰 기대를 가지고 있는 것으로 보임.

나. 전자제품등 상품수요

- 피점령기간중 상가의 각종 전자제품 재고와 민가의 가전제품 태반이 이라크군에 의해서 약탈당했기 때문에 재고비축(Restocking)에 따른 수요가 급증하고 있는바, 이러한 수요증가를 겨냥한 각국의 상품판매 노력이 치열하게 이루어지고 있음.

다. 각국의 상품 판매 노력

- 에집트가 5. 10 - 18기간 쿠웨이트에서 자국 상품전을 주최한 바 있고, 영국은 5. 22 - 25.기간 두바이에서 쿠웨이트 수입업자들을 상대로 상품전을 개최하였으며, 미국은 6. 3 - 9.기간 쿠웨이트에서 각종 상품전시를 주최, 약 1.3억불의 계약실적을 거양하였음.

- 한편, 91. 11월 두바이에서 30여개국이 참가하는 상품전이 개최될 예정인데, 쿠웨이트의 많은 수입업자들이 아직도 두바이에 체류하고 있는 것을 감안하여 쿠웨이트의 전후 물품수요 증가를 겨냥하고 있는 것으로 보임.

4. 각국의 복구사업 참여 노력

가. 미국

- 상무부가 복구사업 참여희망 기업들에게 이들이 필요로하는 정보를 제공하는 한편, 미국 공병단은 현지 방문중인 기업인들을 현지 지도하고 있음.

- 캘리포니아주 출신 Christopher Cox 하원의원은 쿠웨이트 알 사

- 3 -

0087

바 주미대사의 자문을 토대로 91. 4. Newport Beach 에서 600여개의 기업책
들을 초청, 복구사업 참여를 위한 세미나를 조직한 바 있음.

　　나. 사우디

　　　- 사우디 건설회사들로 Overseas Saudi Group 이라는 콘솔시움을
형성, 쿠웨이트 복구공사 수주를 위해 10 - 90억불의 금융을 제의하고 있음.

　　　- 쿠웨이트 정부의 대미국 편향 발주설(미국 70 %, 영국 20 %, 기타
10 %)에 강력 항의하고, 국제경쟁, 자유경쟁을 기초로 발주할 것을 주장하며, 고
도의 기술을 요하는 공사는 미,영,불등에 포혜적으로 발주한다 하더라도 일반공
사는 GCC 에 보다 많은 혜택이 주어져야 한다고 주장함.

　　다. 영국

　　　- 환경장관등 정부 고위인사가 유수한 기업주들을 대동, 수시로 쿠웨
이트를 방문하여 보다 많은 공사를 영국기업에 발주할 것을 요청함.

　　라. 불란서

　　　- 상무장관등 정부 고위인사들이 기업대표단을 인솔하고 빈번하게 쿠
웨이트를 방문하여 불란서 기업들을 쿠웨이트정부 고위인사들에 소개함.

5. 전 망

　　- 원유 및 군사시설을 제외한 긴급복구 또는 수리공사는 상당부분이 발주
되었음으로 91년 하반기 또는 92년 상반기부터는 중・장기 복구 계획에 따른 공사가
발주될 것으로 예상되고 있음.

　　- 92년 말부터는 일일 약 130 배럴의 원유수출이 가능할 것으로 예상되고
있으며, 해외투자수익이 년간 40 - 50억불에 이르고 있음으로 복구공사 시행에
따른 자금문제는 없을 것임.

　　- 긴급복구공사 발주에 따른 공사 발주시 미국회사들이 특혜를 받은 것이
사실이나, 중・장기 계획에 따른 공사발주는 쿠웨이트인들의 압력에 의해 국제 자
유경쟁원칙에 이루어지거나, 쿠웨이트 회사와의 합작형식을 선호할 가능성이 많음.

- 4 -

0088

6. 대 책

- 복구 및 수리공사 대상에는 도하발전소와 슈바이크 항만 기중기등과 같이 우리 업체들이 시공,완성한 것들이 있는데, 동 수주를 주선한 쿠웨이트 스폰서들과 긴밀히 제휴하여 연고권을 내세워 수주활동을 적극 펴나가야할 것임.

- 우리 업체들이 쿠웨이트에 연락사무소등 상설 사무소를 설치 운영하면서 과거 치면을 쌓은 발주청 인사들과의 밀접한 접촉활동을 가져야할 것임.

- 정부 차원에서도 보다 많은 관심을 갖고, 정부 고위인사들이 수시로 쿠웨이트를 방문, 쿠웨이트 정부 당국에 관심을 표시해야 할 것임. 끝.

- 5 -

0089

외 무 부

종 별 :

번 호 : KUW-0321   일 시 : 91 0701 1900

수 신 : 장관(중동일)

발 신 : 주쿠웨이트대사

제 목 : 시장전망

7.1 쿠웨이트 정부 기획부 AL-AWADI 차관방문했을때 차관의말 요지

1.긴급복구 3개월 계획집행을 위한 대책위원회는 5.26 해체되고 각정부 부처,기관
이소관사항을 관장하고 있음. 그러나 긴급복구자체가 완결된것은 아니고 아직도 지역
에 따라 수도,전기,전화등 기본써비스가 복구되지 않은곳이있음.

2.5.26 부터 2년간을 제2단계 복구계획 기간으로 정하고, 이동안에 전쟁전
수준으로 전반적인 시설과 써비스 복구예정.

3.그다음에 5개년 발전계획 시행예정,현재 계획안 작업중임.

4.위 2항의 경우도 아직 종합복구 계획은 성안되지 못하고 있고 몇달 더 걸릴것임.
1991-92예산(회계년도 7-1-6.30)도 이때문에 아직 작업중이고 수주일 더걸릴것임.

5.10월쯤이면 복구작업 우선순위가 결정되고'과거 쿠웨이트 건설에 참여했던
한국업체들도'쿠웨이트 관계부처에서 접촉하게 될것임.

6.현대의 중단된 공사들도 재개할 예정임. 역시 전체적인 우선순위가 결정된
다음에야 될터인데 지금으로서는 시기를 예단하기가 어려움.

7.상품 수출분야에서는 견본전시회를 갖일것을 권고함.끝

(대사-국장)

중아국   2차보   통상국

주 쿠 웨 이 트 대 사 관

주 쿠 웨 이 트 (경) 2582-69   1991. 7. 8

수   신 : 장 관

참   조 : 중동아프리카국장, <u>통상국장</u>

제   목 : 상품 카타록 전시회 개최 계획

대 : 중동일 720 - 22293, 22652

　　　　당관은 별첨 계획과 같이 우리 상품의 카타록 전시회를 개최코자
하니 가능한대로 대호에 수록된 모든 업체들의 자기소개 및 생산제품선전책자
등 각 30 부씩을 송부하여 주시기 바랍니다.

유   첨 : 상품 카타로그 전시회 개최 계획. 끝.

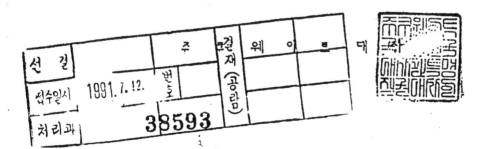

0091

상품 카타로그 전시회 개최 계획
==================

1. 개최일시 : 91. 9. 30 ~ 10. 6 (7일간)

2. 장   소 : 쿠웨이트 시내 중심가 소재 고급호텔(International Hotel)

3. 전시회 대상 :

    가. 공관초청

       - 약 300명의 쿠웨이트 수입업자

       - 약 200명의 쿠웨이트 상공업인

       - 정부 및 국영업체 고위인사 다수

    나. 기   타

       - 일반 소비자

       - 호텔 투숙중인 제 3국 실업인등

4. 기대효과

    - 제품별, 업체별 소개책자등 카타로그를 전시, 우리 제조업체, 수출업체
      및 생산제품을 광범위하게 소개함으로써 우리 생산품의 쿠웨이트 시장
      확대를 기할 수 있음.

    - 다양한 우리상품을 일반 소비자들에게 소개, 우리의 경제력과 생산능력
      을 과시함으로써 이들의 우리상품에 대한 신뢰도를 높일 수 있음. 끝.

0092

주 쿠 웨 이 트 대 사 관

주 쿠 웨 이 트 (경) 20655 - *54*

수 신 : 장 관

참 조 : 통 상 국 장

제 목 : 외 제 승 용 차 현 지 거 래 가 격 조 회

1. 통이 20655 - 13893 (91. 4. 12)의 관련임

2. 위호로 조회한 동 자동차의 91. 1 현재가격을 대리점에 문의한 바 당시는 전쟁상태였으므로 가격을 확인할 수 없다함.

3. 다만 그 차의 구입시기인 89· 6. 19 자동차 가격은 4,400 쿠웨 이트 디나 (14,800 미불상당) 라 하는 바 별첨 증빙서류 첨부하여 회보합니다.

첨 부 : 거래가격 내역서 1부. 끝.

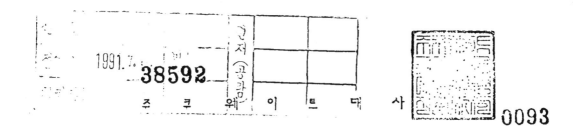

AUDI

Bill № 3403   Audi   Kuwait _19·06·1989_ كويت

D. O. No.: 2639   Audi

Mr./~~Ms~~ Choong Soo Lim   حضرة

Address   Tel. 2513816

          2513243

Dr. to **BEHBEHANI MOTORS CO.**   مطلوب الى شركة بهبهاني للسيارات

Particulars	KD.	F.
To Cost of ONE Audi 100 C.D. Auto, A/c, Sun Roof, Radio	4400	000
Model : 1987		
Type : HH3633		
Colour : Stone Grey Met. U8 U8-GA.		
Chassis No. : WAUZZZ44ZHN041907		
Engine No. KU058134		
Radio :		
Ins. Cert. No. 89 16 00103	14	000
Total	4414	000
By Cash Rt. No. 7446 Dt./ 19.6.89	4414	000
By Deposit Rt. No. .... Dt/		
By Amount debited ·..........	0000	000

0094

Behbehani Group

Behbehani Motors Company Kuwait

 Sole
Agents

6th July 1991

TO WHOM IT MAY CONCERN

WE HEREBY CERTIFY THAT THE APPROXIMATE
ESTIMATION FOR ONE AUDI 100 CD AUTOMATIC MODEL
YEAR 1987 WOULD BE BY NOW ABOUT KD.1,900/-.(KU-
WAITI DINARS, ONE THOUSAND NINE HUNDRED)

GEORG DZIERZON
GENERAL MANAGER

0095

Phones: 844000 (10 Lines) Showrooms: 844454, 2437294/6, Spare Parts Department: 814244

Cable:Motors, Telex:23496 Motors KT, Telefax (00965) 844053,Post Box No.4222, 13043, State of Kuwait.

관 세 청

평가2·22741- 357   1991·7·11

수신 외무부장관

참조 통상국장

제목 외제승용차 현지 거래가격 재조회

　　　1·우리청 평가2·22741-149호(91·3·25)와 관련입니다·

　　　2·위 호로 외제승용차 현지거래가격을 조회한 바 있으나 현재까지

회보가 없어 민원업무 처리가 지연되고 있으므로 재조회 하오니 현지

아국공관에 조회하여 조속히 회보하여 주시기 바랍니다·

　　　　　　　　　　　　　다　　　　　음

　- 조회내용

　　　이사화물로 반입된 아래 승용차의 '91·1월 쿠웨이트에서

　　　거래되는 신품의 현지 소비자 가격을 확인코저 함·

　　　　ㅇ 차　　종 : AUDI

　　　　ㅇ 규　　격 : 100 CD 87년형 5기통 2·300cc 4Door

　　　　　　　　　　세단 Auto

　　　　ㅇ 차대번호 : WAU ZZZ44ZHN 041907

('91·1월 현지 거래가격 확인이 곤란한 경우에는 그 이전 가장 가까운

　시점의 거래가격 확인 요망)   끝·

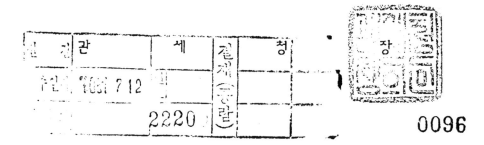

0096

외 무 부

종 별 :

번 호 : KUW-0354　　　　　　　　　일 시 : 91 0714 1600

수 신 : 장관(중동일,통상,기정)

발 신 : 주 쿠웨이트 대사

제 목 : 경제정세전망

　　7.15 쿠웨이트 증건거래소 AL-OTAIBI 이사장을 방문하였을때 그가 말한 경제정세 요지를 보고함.

　　1. 쿠웨이트 경제는 원래 민간등의 소위 경제활동이 그기반이 아니고, 정부가 원유수입금을 분배하여 운영되는 경제이기때문에, 미아국간의 피해는 경제전망에 크안요소가 아니다. 소위 부의 원천이 정부라는 사실과 작은 경제규모 때문에 앞으로 경제운용에 어려움은 없다

　　2. 정부(국가)재정은 잠정적인 원유수입금 중단에도 불구하고 재외부자 자본등 쿠웨이트 경제와 KD 통화가치를 지지할 자산이 충분하기 때문에 쿠웨이트경제는 전쟁피해에도 불구하고 튼튼하다

　　3. 다만, 현금자본 조달에 문제는 있으나 국제금융 시장에서 신용도가 높기때문에 우려할것은 못된다. 그러나 단기적으로는 복구공사 진행등이 영향을 받게될것은 불가피하다.

　　4. 은행의 인출금및 해외송금통제등은 8.3 부로 완전히 해제될것이다. 예상되는 자본해외 유출(도피)는 KD 이자율 상향조정으로 우선 대처하고 궁극적으로는 쿠웨이트경제에 대한 신뢰감을 높여서 자본유출 중지는 물론 쿠웨이트로 자본이 유입되게 한다는것이 정책방향이고 그렇게 될것이다.

　　5. KD 교환가치는 중앙은행개입(외화투입)으로, 하락되는 일은 없을것이다.

　　6. 경제는 2-3 년 후부터는 다시 성장과정에 들어설것으로 본다.

　　7. 한국의 증권전산주식회사와 지난해 계약한 증권거래소 전산망을 위한 소프트웨어 개발사업(약 300 만불 상당)은 전쟁전에 25 프로 선수금을 주었는데 현재개발 작업중단중이고 다시 시작할런지도 아직 정하지 못했다. 정미의 자금배정순위가 높지않으니 장래는 낙관적이 아니고, 중지기 경우 한국측과

중아국　　차관　　1차보　　2차보　　통상국　　분석관　　청와대　　안기부

"우호적으로 "해결될수 있기 바란다. 끝

(대사-국장)

종　별 :

번　호 : KUW-0376　　　　　　　　　일　시 : 91 0722 1400

수　신 : 장관(중동일)

발　신 : 주 쿠웨이트 대사

제　목 : 버스 수출조사

대:KUW-298

　1. 쿠웨이트 대중교통공사 AL-HAROON 회장을 방문, 대호 자료를 주고 양국간 친선관계도 고려하여 몇대만이라도 시험적으로 주문해 줄것을 부탁하였음.

　2. 그는 쿠웨이트 수복전에 사우디에서 버스입찰때 대우도 사우디대리인을 통해 응찰했는데 미국보다 높은 가격이었다고 말하고 그때 인도가 60 인승 3 만,28 인승 1.5 만불로 최저가격을 제시하여 주문을 받았다고 말했음. 자신의 기억으로 대우는 3.8 만 정도였다고 하고, 공급가능가격을 알려주면 연말로 예정하는 300 대정도의 신규입찰시 참조하겠다함.

　3. 에어콘 등 옵션이 없는 기본형의 경우와 옵션에따른 최저가격을 가능하면 알려주기 바람.(대우는 이곳 대리인에게 버스를 수대 공급예정이라 하는데 교통공사납품을 목표로 하는지는 미확인). 끝

　　(대사-국장)

중아국　　2차보　　　통상국

외 무 부

종 별 :

번 호 : KUW-378   일   시 : 91 0723 1400

수 신 : 장관(중동일,통일)

발 신 : 주 쿠 대사

제 목 : 쿠웨이트 복구공사

    쿠 정부는 전쟁과 유정화재로 재정손실이 많아 복구사업을 위해 100 억디나(약 330
억불)를 한도로 국제금융시장 등에서 기채하기로 결정하였음. 이 액수는 필요에따라
기채할수 있는 상한선이며 반드시 그만큼 기채한다는 것은 아님.

    2. 이상한선이 발표되기 전의 기채한도액은 30 억디나(99 억불)였고 이미 빌린
돈이 25 억디나(82.5 억불)라 알려지고 있으므로(주쿠 미국대사 제보)기채한도 잔액은
75 억디나(247.5 억불)일 것임.

    3. 정보소스 계산으로는 쿠웨이트가 앞으로 1 년 이내에 써야될 돈은 전비잔액 80
억불, 유정화재진압에 100 억불, 팔레스타인 등 비쿠웨이트인 공무원 해임에 따른
퇴직금, 각종 민간보조금, 보상금 등 100 억불 등만 계산해도 280 억불 이상임.
이외에 시급한 국방비지출수요도 대단한 몫을 차지할 것임.

    4. 이외에도 안보불안 때문에 자본, 재산유출이 심하여 문제를 가중시키고 있음.

    5. 따라서 대규모 복구공사를 시작하기에는 재정능력상 어려움이 예상되므로
다음같이 우리가 대응하는 문제를 검토하실것을 건의드림.

    중단된 일부공사 연불조건 재개

    가. 현대가 90.8.2 개전당시 4 개공사중이었음.

    나. 그중 도로공사 2 개의 공사현장은 교통요지어서 시급 재개하는 것이
필요하다고 생각됨.

    다. 그러므로 현대가 연불조건으로 공사재개를 제의한다면 쿠정부는 호의적으로
받아들일 가능성이 있고 공사를 완결하면 93 년초로 예상되는 본격적 석유수출재개 및
건설공사 활황기에 유리한 입장에서 수주할수 있는 여건을 마련할수있을 것임.

    라. 연불공사를 하기위해서는 우리정부의 공사비대부, 보증 등 조치가 있어야
할것임.

───
중아국   차관   2차보   통상국

마. 위공사의 당초 수주액은 79,093 천불이고, 이미 받은돈이 38,577 천불이라 하므로 계산상 약 40,516 천불을 외상으로 하면되나, 실제로는 기자재손실,완성부분파괴, 인프레, 새로운 동원 부분등 추가비용이 많을 것이므로 일단 원칙이 결정되면 쿠측과 공사재개협상을 해야할 것임.

　　바. 이상은 쿠웨이트의 지불능력은 신용할만하다는 전제로 생각한 것이며 시공자측도 유리하고 우리의 GCC 지역에대한 홍보효과도 려한 것임.끝

　　(대사 소병용-차관)

　　예고:1991.12.31 일반

PAGE 2

0101

분류번호 문서번호	중동일 720- _1892_	기 안 용 지 (720-2327)	시 행 상 특별취급	
보존기간	영구·준영구 10. 5. 3. 1	장 관		
수 신 처 보존기간				
시행일자	1991. 7. 29.			

보존 기관	국 장		협 조 기 관		문 서 통 제
	심의관				
	과 장				
기안책임자		김 동 억			발 송 인

경 유

수 신 건설부 장관

참 조 해외협력관

사본: 해외건설협회, 주쿠웨이트대사(주71)

제 목 쿠웨이트 복구공사

---

1. 주쿠웨이트 대사는 쿠웨이트 복구공사 관련 정보를 별첨 전문과

    같이 보고하여 오면서 걸프전으로 말미암아 중단된바 있는 현대

    건설공사(4개)를 연불조건으로 재개하는 것이 좋겠다는 건의가

    있읍니다.

2. 쿠웨이트 교통요지에 위치한 도로공사 2개의 공사현장은 현시점에서

    공사재개시 홍보효과를 거둘것이며 93년초로 예상되는 본격적 석유

    수출재개와 더불어 건설공사 활황에 유리한 수주 여건을 마련할수

/ 계 속 .... /

더 맑은 마음을, 더 밝은 사회를, 더 넓은 미래를

0102

있을 것이라는 점을 고려하여 중단된 쿠웨이트내 일부 공사의 연불

조건 재개 문제를 검토하여 주시기 바라며, 그 결과를 당부에 알려

주시기 바랍니다.

첨　부　:　주쿠웨이트 대사 보고전문 사본 1부.　끝.

```
관리 91/
번호 /1295
```

외 무 부

종 별 :

번 호 : KUW-378

일 시 : 91 0723 1400

수 신 : 장관(중동일,통일)

발 신 : 주 쿠 대사

제 목 : 쿠웨이트 복구공사

쿠 정부는 전쟁과 유정화재로 재정손실이 많아 복구사업을 위해 100 억디나(약 330 억불)를 한도로 국제금융시장 등에서 기채하기로 결정하였음. 이 액수는 필요에따라 기채할수 있는 상한선이며 반드시 그만큼 기채한다는 것은 아님.

2. 이상한선이 발표되기 전의 기채한도액은 30 억디나(99 억불)였고 이미 빌린 돈이 25 억디나(82.5 억불)라 알려지고 있으므로(주쿠 미국대사 제보)기채한도 잔액은 75 억디나(247.5 억불)일 것임.

3. 정보소스 계산으로는 쿠웨이트가 앞으로 1 년 이내에 써야될 돈은 전비잔액 80 억불, 유정화재진압에 100 억불, 팔레스타인 등 비쿠웨이트인 공무원 해임에 따른 퇴직금, 각종 민간보조금, 보상금 등 100 억불 등만 계산해도 280 억불 이상임. 이외에 시급한 국방비지출수요도 대단한 몫을 차지할 것임.

4. 이외에도 안보불안 때문에 자본, 재산유출이 심하여 문제를 가중시키고 있음.

5. 따라서 대규모 복구공사를 시작하기에는 재정능력상 어려움이 예상되므로 다음같이 우리가 대응하는 문제를 검토하실것을 건의드림.

중단된 일부공사 연불조건 재개

가. 현대가 90.8.2 개전당시 4 개공사중이었음.

나. 그중 도로공사 2 개의 공사현장은 교통요지어서 시급 재개하는 것이 필요하다고 생각됨.

다. 그러므로 현대가 연불조건으로 공사재개를 제의한다면 쿠정부는 호의적으로 받아들일 가능성이 있고 공사를 완결하면 93 년초로 예상되는 본격적 석유수출재개 및 건설공사 활황기에 유리한 입장에서 수주할수 있는 여건을 마련할수있을 것임.

라. 연불공사를 하기위해서는 우리정부의 공사비대부, 보증 등 조치가 있어야 할것임.

```
검 토 필 (199  1. 6. 30. )
```

중아국   차관   2차보   통상국

91.07.23   20:53

외신 2과 통제관 FM

0104

마. 위공사의 당초 수주액은 79,093 천불이고, 이미 받은돈이 38,577 천불이라 하므로 계산상 약 40,516 천불을 외상으로 하면되나, 실제로는 기자재손실,완성부분파괴, 인프레, 새로운 동원 부분등 추가비용이 많을 것이므로 일단 원칙이 결정되면 쿠측과 공사재개협상을 해야할 것임.

바. 이상은 쿠웨이트의 지불능력은 신용할만하다는 전제로 생각한 것이며 시공자측도 유리하고 우리의 GCC 지역에대한 홍보효과도 려한 것임.끝

(대사 소병용-차관)

예고:1991.12.31 일반

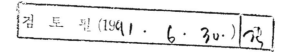
검 토 필 (1991. 6. 30.)

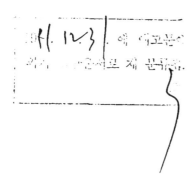

PAGE 2

0105

	분류번호	보존기간

발 신 전 보

WKU-0286   910730 1940 FO

번   호 : _____   종별 : _____

수   신 : 주   쿠웨이트   대사. 총영사/

발   신 : 장   관   (중동일)

제   목 : 쿠웨이트 복구공사

대 : KUW-378

　　　　대호 귀 건의사항을 건설부 및 해외건설협회에 검토 의뢰 하였으며
현대건설 본사에도 동 내용을 통보 하였으니 참고 바람.　끝.

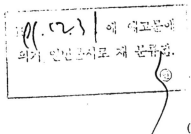

(중동아국장   이 해 순)

예   고 : 91.12.31 까지

검 토 필 (19 91 . 6 . 3~ .)

	보 안 통 제		

앙 고 재	91 년 7 월 3.0 일	중 동 일	기안자 성 명	과 장	심의관	국 장	차 관	장 관		외신과통제

0106

외 무 부

종   별 :

번   호 : KUW-0425

일   시 : 91 0803 1000

수   신 : 장관(중동일,통이)

발   신 : 주 쿠 대사

제   목 : 코트라직원 부임

연:SBW-0642

1. 이스탄불 주재 코트라지사는 동 본사 지시에 따라 동 지사직원 1 명이 10월중 쿠웨이트에 부임할 예정이라고 7.29 당관에 통지하여 왔음.

2. 코트라 직원부임과 관련하여 당관은 연호로 당관 생각을 밝힌바 있는데,아래와같은 이유로 부임 코트라 직원이 당관에 배속되어 사무실을 갖고 당관 경제통상 업무도 보조토록 조치할것을 건의함.

1)쿠웨이트 정부는 코트라와 같은 조직이 공관과는 별개의 독립된 기관으로서 활동하는것을 허용치않고 공관에 부수된 일부로서 인정, 그범위내에서의 활동을 인정하고 있음. 기왕에도 당지 코트라는 대쿠웨이트 정부관련에서는 당관의 일부였음.

2)전전 일부 국가들이 공관과는 별도의 통상촉진 기관을 설치 운영하였었으나 전후 모두 공관에 수용조치 하였음.

3)현재 쿠웨이트 경제정세등 상황으로 보아 코트라가 독립된 사무소를 운영하면서 활동할만한 사정이 못됨.

4)당관 인원축소에 따라 당관 청사내에 코트라 사무소를 수용할수 있는 충분한 공간이 있음으로 별도 사무소를 설치할 이유가 없음. 끝

(대사-국장)

예고:91.12.31. 까지

중아국   통상국

존경하는 총장님께.

전율드로 측나에 극진것에 대하여 감사드립니다.
한듬에해 더 뱁버러를 하라고 기위를 뿔을 엿이는
자극 분안을 못 가리며. 늘 총국랑해나 내 도다
국다고 도나 록시는것에 대나에 고맙게 여기고습나다.
간간이 빌고 들거리며. 여기는 아직 TELEX
는 不通 이나 전화는 제께로 되어나 도리들을
남겸 컬 때마 일습니다. Pollution 문제는 여럭없는
나 런반럭드로 남겸 좋나졌습니다. 연기구름이 걸께
덮이는날 빛가로 그랑지 아니한 날이 많께 되었
습니다. 반남들봄이들 깇고 있는 건널공사도 여럭
큰 공시 빌추고있습니다. 가을에 들어되 1번 춤 컬
건길스드룩 기께입니다. 이사엉들이 지로는 두히
CASH FLOW 북쫄문제를 겪고 있어나 큰들이 드는닐는
머룩고 없는걸 같습니다. ★ 그래나 지난번에
SELF FNANANCING 가능성겸토를 하되드리겠는데

저는 그것이 적극적으로 심각께 불 때 사각 생각
습니다. "정치적 겷각" 는 문제인듯해도 전등나봅니다.
8:5 국택이를 소바롱

외 무 부

종 별 :

번 호 : KUW-0445   일 시 : 91 0811 1400

수 신 : 장관(중동일,사본:건설부장관)

발 신 : 주쿠웨이트대사

제 목 : 쿠웨이트 정유시설복구

대:중동일 720-27683

1.8.11 온참사관이 임건설관과 함께 쿠웨이트석유공사(KOC) KHALID 기술담당 전무를방문, 대호건에 관한 제반 사항을 문의하던 중동인은 KOC 산하 펌프, 송유관등 정유시설에대해 향후 2년간에 걸쳐 10억불의 복구또는 수리공사를 긴급히 시행해야 한다고 하면서 한국회사들의 참여를 희망하였음.

2.동인은 또 본 복구공사는 여타 공사와는 달리 한국회사들이 쿠웨이트 스폰서를 거치지않고 KOC와 직접 상담할수 있다고 하면서, KOC 산하기술부(ENGINEERING DEPT.) AHMAD ALI 나 AHMAD HADAD를 접촉하면 구체적 사항을 파악할수 있을것이라고 하였음.

3.구체사항은 추후 파악되는대로 재보고예정이나, 그동안 상기내용을 건설협회등에 통보,우리회사들의 이에대한 관심을 촉구하여 주기바람.끝 (대사대리-국장)

중아국   1차보   경제국   통상국 건설부 2차보

외 무 부

종 별 :

번 호 : LYW-0511   일   시 : 91 0812 1330

수 신 : 장관(중동이)

발 신 : 주 리비아 대사

제 목 : 금성사 VTR 공장 설립계약

　　　금성사는 8.7.주재국 전략 산업부 전자공업국과 주재국 최초의 VTR 공장
설비계약에 서명하였음. 동계약은 아국업체 최초의 턴키수출계약으로 이에의하면 총
38백만불 (공장설비 8백만불, 3년간 부품제공 3천만불)에 달하는 연간 7만대 규모의
VTR 공장을 벵가지에 설립하며 계약후 11개월 이내에 생산을 개시하도록 되어있음.

　　　공장 건설이 완료되면 금성은 공장설치, 생산지도, 품질관리를 담당하고,
공장은금성이 초기단계에 운영하다가 점진적으로 주재국에 이관하도록 되어있음.끝

　　　(대사 최필립-국장)

중아국   2차보   경제국   통상국

외 무 부

종 별 :

번 호 : KUW-0447 　　　　　　　　　일 시 : 91 0812 1300

수 신 : 장 관(중동일,사본:동자부장관)

발 신 : 주 쿠웨이트대사

제 목 : 쿠웨이트 유정화재 진화사업 참여

　　대: 중동일 720-27683(91.7.29)

　　1. 위건 관련 주재국의 담당기관인 국립 쿠웨이트석유회사 (KOCO 와 접촉한바, 대호 공법은 아직까지 적용해 보지아니한 새로운 방법으로 이경우에는 동사내의 심사위원회 에서 내용을 검토하고 가능성이 인정되면 관계회사를초청, 시험진화과정을 보고 그결과에 따라 계약여부를 결정한다함.

　　2. 따라서 동 심사위원회에 제출할 제안서 (공법의요점과 도면)를 영문으로 작성하여 보내주시기바람. 현재까지 1,000종 이상의 각종 제안이 동회사에 제출되었다함을 참조하여 타공법과 비교하기 쉬운 특성등 요점을 제시함이 효과적인 것으로 판단됨.끝

　　(대사대리-국장)

중아국　　　　　동자부

외 무 부

종 별 :

번 호 : KUW-0449
일 시 : 91 0814 1300

수 신 : 장관(중동일,봉이)

발 신 : 주 쿠 대사

제 목 : 코트라직원 부임

연:KUW-0425

1. 주터키대사에 의하면, 연호 쿠웨이트 부임예정인 코트라직원이 주터키 쿠웨이트대사관으로 부터 "COMMERCIAL ATTACHE" 사증을 발급받을수 있도록 주선하여 줄것을 요청하여 왔다고 함.

2. 연호 건의에 대한 본부 조치사항을 회시바람. 끝

(대사대리-국장)

예고:91.12.31. 까지

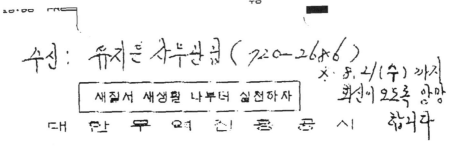

무공전시   제 1059 호   (551~4405)   1991. 8. 19.

수   신   외무부장관

참   조   통상국장

세   목   '92 쿠웨이트국제박람회 참가검토 의견 요청

밭↑송
1991. 8. 19
대한무역진흥공사

1. 우리공사는 '92 해외전시사업 계획의 일환으로 쿠
웨이트 해방 1주년 ('92.2.26) 및 국경일 ('92.2.27)을 경축함과 동시에 경제재건
을 위한 교역촉신용 목적으로 쿠웨이트정부의 직극직인 재민 후원하에
개최되는 '92 쿠웨이트국제박람회에 걸프지역 경제재건시장 (약 150억불
추성) 신출심화 및 시장확보 차원이라는 목직으로 다음과 같이 한국관
참가를 석극 검토하고 있읍니다.

2. 그러나, 우리공사의 현지무역관이 10월 1일 부터 새개
되기 때문에 참가 타당성 검토를 위한 현지경세 여건을 파악할수 없는
실정에 있읍니다.

3. 이에 현지 경제여건을 감안한 동박람회의 참가타당성에
내한 귀부 현지 대사관의 의견을 요청하오니 힙조하여 주시기 바랍니다.

— 다   음 --

가. 박람회 개요

1) 박람회명 (영문) : The Kuwait Int'l Trade Fair

2) 기   간 : 1992.2.26 - 3.3.

2 -1

0113

(

3) 규   모 : 32,000 S/M

4) 장   소 : Kuwait Exhibition Centre

5) 개최성격

쿠웨이트 수복 1주년 ('92.2.26) 및 쿠웨이트 국경일
('92.2.27)을 경축함과 동시에 경제 재건을 위한 교역
촉진을 목적으로 쿠웨이트 정부의 제반 후원하에 개최
되는 종합박람회

6) 참고사항

박람회 당국 (Kuwait Int'l Fair Co.)에 따르면 잠정적으로
으로 참가업체를 유치한지 6주가 경과한 '91.6.1 현재
1,500개사 (21,000 S/M)가 참가 신청하였다고 함.

나. 한국관 참가계획

1) 참가연혁 : 최초참가

2) 규   모 : 526 S/M

3) 출품품목 : 종합품목

다. 참고사항

동박람회 참가 희망업체 설문조사 실시결과 '91.8.19 현재
효성·두산·한일합섬등 10개사가 참가희망을 표시하였음
(향후 본격적으로 참가업체를 모집할 경우 참가업체 호응도
는 양호할것으로 판단됨)   끝.

대 한 무 역 진 흥 공 사 사

2-2

발 신 전 보

번   호 : WKU-0309   910820 1915 FH   종별 :

수   신 : 주   쿠웨이트   대사.총영사

발   신 : 장 관 (통 상)

제   목 : '92 쿠웨이트 국제 박람회 참가 검토

1. 대한무역 진흥공사는 92.2.26-3.3간 주재국에서 개최되는 표제 박람회에
   한국관 참가를 검토중임을 통보하여 오면서, 동 박람회 참가 타당성에 관한
   당부 의견을 요청해 온 바, 검토후 이에대한 귀견을 가급적 8.19(수)한 보고
   바람.

2. 동 박람회 개요를 아래 통보하니 상기 검토에 참고바람.
   ○ 박람회명 : The Kuwait International Trade Fair
   ○ 규   모 : 32,000 S/M
   ○ 장   소 : Kuwait Exhibition Center
   ○ 개최성격 : 주재국 수복 1주년(92.2.26) 및 국경일(92.2.27) 기념과
               경제재건을 목적으로 주재국 정부가 후원하는 종합박람회
   ○ 참가동향 : 91.6.1 현재 1,500개사 신청
   ○ 한국관 참가계획
      - 참가연혁 : 최초참가
      - 규   모 : 526 S/M
      - 출품품목 : 종합품목
      - 참가희망 업체 : 91.8.19 현재 효성, 두산, 한일합섬등 10개사 끝.

	기안자		과 장	국 장		차 관	장 관	보안통제
앙고재	유지은			심의란 전결			전결 (통상국장 김용규)	3

외신과통제

외 무 부

종 별 :

번 호 : KUW-0468

일 시 : 91 0822 1200

수 신 : 장 관(통삼)

발 신 : 주 쿠웨이트대사

제 목 : 쿠웨이트 국제박람회 참가건의

대:WKU-0309

연:KUW-386,쿠웨이트(경) 2582-79

대호 쿠웨이트 주최 국제박람회관련, 연호로 보고한바와같이 우리의 전후 쿠웨이트 시장진출확대에 도움이 되고, 동박람회가 수복기념으로 개최되는 정치성이 많은만큼 양국관계증진에 기여할수 있을뿐만 아니라 쿠웨이트의 EXPO 93참가결정에 도움이될수있는 좋은 계기로생각되므로 동박람회에 참가할것을 건의함.끝

(대사-국장)

통상국   중아국   ~~박경석~~ KOTRA (8.23)

PAGE 1

91.08.22   21:54 FL

외신 1과 통제관

0116

외 무 부

종 별 :

번 호 : KUW-0506   일 시 : 91 0903 1300

수 신 : 장관(통삼)

발 신 : 주쿠웨이트대사

제 목 : 쿠웨이트 국제박람회

    대:통이 20655-21897

    연:KUW-468

   1. EXPO 93 참가 교섭과 관련하여 알고자하니 92.2월 개최예정인 연호 쿠웨이트 국제박람회에서 우리가 참가할것이라고 통고해도 좋은지 회시바람.

   2. EXPO 93 관련 대호 영문 홍보책자 5벌을 추가로송부하여 주시기바람.끝

   (대사-국장)

통상국

PAGE 1   91.09.03   22:11 DU

                                              외신 1과 통제관

                                                 0117

발 신 전 보

		분류번호	보존기간

번   호 : WKU-0342   910910 1438 FH   종별 :

수   신 : 주   쿠웨이트 대사. 총영상 ♣♣♣♣♣

발   신 : 장   관 (통   상)

제   목 :   쿠웨이트 국제박람회

대 : KUW - 0506

1. 대호 1항관련, KOTRA는 표제박람회에 독립관규모로 참가할 예정이나, 업체의
   호응도가 예상보다 적어 귀지 진출 업체로부터 본사로의 참여요청 지원이
   요망된다 함을 참고바람.

2. 대전 EXPO홍보자료는 차파편 송부위계임.   끝

(통상국장 김 용 규-대사)

		보 안 통 제	ᴢ

앙 고 재	91년 8월 10일	통상 3과	기안자성명 김영준	과 장 ᴢᴢ	국 장 전결	차 관	장 관		외신과통제

0118

기 안 용 지

분류기호 문서번호	통삼 20655**33686** (전화:720-4748)	시 행 상 특별취급	
보존기간	영구.준영구. 10. 5. 3. 1.	장 관	
수 신 처 보존기간			
시행일자	1991. 9. 10.	ろ	

보조기관	국 장		협조기관		문 서 통 제
	심의관				첨 '91 9.10
	과 장	전 결			발 송 인
기안책임자	김 영 준				발 신 '91 9 10

경수참 유신조	주 쿠웨이트 대사	발신명의	

제 목	대전 EXPO 홍보자료 송부

대 : KUW - 0506

연 : WKU - 0342

대호 요청자료를 별첨 송부합니다.

첨 부 : TAEJON EXPO '93 책자 5부. 끝.

0119

44879

기 안 용 지

분류기호 문서번호	통일 2065-	(전화: 725-0788)	시 행 상 특별취급	
보존기간	영구. 준영구 10. 5. 3. 1.	장	관	
수 신 처 보존기간				
시행일자	1991. 9. 9.			

보조 기관	국 장	전결	협 조 기 관		문 서 통 제
	심의관				접수 1991 9.11
	과 장				
기안책임자		전 욱			

경수 참조	유신 신조	상공부장관, 건설부장관	발신명의	

제 목	쿠웨이트 복구전망 관련기사

The Middle East 8월호에 게재된 쿠웨이트 복구사업 전망에

대한 기사를 별첨 송부하오니 귀부업무에 참고하시기 바랍니다.

첨부 : 쿠웨이트 복구전망 기사내용 1부. 끝.

0120

주 쿠 웨 이 트 대 사 관

주쿠웨이트(경) 720 - /ㄱ/   1991. 8. 29

수　신 : 장관

참　조 : 중동아프리카국장, 통상국장

제　목 : 쿠웨이트 복구전망 관련기사보고

　　　　　The MIDDLE EAST 8월호에 게재된 쿠웨이트 복구사업

전망에 대한 기사내용이 관련정세파악에 참고 될듯하여 별첨 보고 합니다.

이 기사 필자는 외상공사(self - financing package)

를 제안하는 것이 수주에 도움이 될 것이라고 지적하고 있습니다.

　　첨　　부 : 쿠웨이트 복구전망 (외상공사협상) 기사내용 1부. 끝.

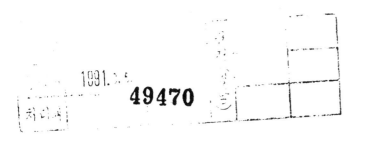

49470

주 쿠 웨 이 트 대 사

0121

외상공사 협상

쿠웨이트는 복구를 위해 해외재산을 처분하지 않을 것이며, 따라서 계약을 성사시키고자하는 업체는 외상공사를 해야할 것이다. 5월말 두바이에서 열린 "Opportunity Gulf " 무역박람회에서 볼수 있듯이 동구를 포함한 세계각국 기업들은 쿠웨이트 제2, 3단계 복구공사의 계약을 따내기 위해 노력하고 있다. 그러나 해방후 몇주일이 지나자 그들의 희망은 환상으로 되어버리고 이러한 업체들은 결국에는 외상으로 공사를 해 준다는 조건을 제시하여야만 할 것이다.

Kuwait Investment Company (KIC) 사장 Wael Al Sagar 는 "우리는 연합군에 가담한 국가들의 업체에 우선권을 줄 것이나, 결국에 가서는 외상수출 및 외상공사를 제시하는 업체에게 낙찰될 가능성이 크다" 라고 밝혔다. "현재까지 일본은 앞에 나서지 않고 긴급복구공사계획에도 참여하고 있지않다. 일본정부도 현지의 자기업체들이 전면에 나서지 않도록 조정하고 있으나 조만간 쿠웨이트측이 호감을 가질 외상공사를 제시할 것으로 보인다. 우리는 영국이나 다른 연합군측에 계약을 주고 싶으나, 수지타산을 고려하지 않을 수 없다. "

쿠웨이트는 계약들이 수출입은행의 보증, 외상공사 조건 포함 또는 상업은행 대출지원등으로 자금문제가 해결되길 기대하고 있다. 쿠웨이트 관료들은 전쟁전 쿠웨이트의 신용도가 높았으며 1,000억불 이상의 자산을 보유하고 있다는 점을 지적하면서 외상공사를 하더라도 아무런 문제점이 없다는 점을 강조하고 있다. 전수전력부장관 ABDULLAH AL GHANEM 은 "쿠웨이트는 복구를 위한 재원조달능력이 충분하므로 외국업체들이 쿠웨이트에 대해 보다 장기적인 정책을 택한다면 그들에게 주어질 기회는 클 것이다. " 라고 밝히고 있다.

더우기 중요한 것은 현재 쿠웨이트 복구공사의 실체는 '재건(RECONSTRUCTION) 이 아닌 수리(REFURBISHMENT)' 이다라고 많은 쿠웨이트인들은 말하고 있다. 쿠웨이트의 복구는 현재 3단계로 계획되고 있다. 제1단계 긴급복구공사는 미공병단에게 독점적으로 주어져서 지난 90일동안 추진되어 왔으나 피해의 추정과 복구

0122

과정의 어려움으로 인하여 91년말까지 연장되었다. 이후 2년간의 제2단계 복구 및 수리단계에서는 정상적인 사회 및 경제안정 수준으로의 회복을 위한 것이다. 제3단계 재건단계에서는 쿠웨이트의 기간시설,교육 및 훈련, 경영등의 문제가 검토될 것이다. 그러나 걸프지역내 한 영국법률회사가 지적했듯이 복구의 진전도에 따라 위의 목표들은 재조정될 것으로 보인다. AL GHANEM 에 따르면 전기, 수도,통신,공공사업,주택,교육분야의 복구가 가장 큰 공사 계약 대상이며, 이러한 공사는 새정부와 은행들이 정상적으로 가동되는 1년후에나 있을 것으로 보인다고 한다.

쿠웨이트인들은 이라크가 대부분의 모든 물자를 약탈해간 상태이므로 복구에 필요한 물자의 조달이 최우선의 과제라고 지적한다. 이락으로 수송할 수 있는 것만 사무,가정용품등의 물자 수입이다. 외국업체는 공사자체보다는 이 부족한 물자의 수출에 관심을 두어야 한다고 AL GHANEM 은 강조한다.

NATIONAL BANK OF KUWAIT 총재 NASSER AL SAYER 은 긴급복구 및 수리를 위해서는 석유 생산 분야에 투입될 200억불과 유정진화 및 기타 복구를 위한 200억불등, 총 400억불이 소요될 것으로 본다고 밝혔다. 또한 이외에도 공공사업을 위한 비용소요도 향후 5년간 상당한 것으로 보인다. 그러나 앞으로 재건 및 시설보완이 어떻게 진행될지는 새 정부가 얼마나 효과적으로 계획을 수행하는 가에 달려있다. AL GHANEM 은 8월까지는 이러한 것을 기대할 수는 없고 현재로서는 통신분야만 우선적으로 복구되고 있다 라고 말하고 있다.

쿠웨이트 관리들은 쿠웨이트측 에이젠트와 확실한 약속이 없는한 외국업체들이 쿠웨이트 관리나 사업가를 접촉하는 것은 시기상조라고 지적한다. 아직 전쟁, 점령, 해방등의 상처가 남아 있기 때문에 쿠웨이트인들은 심리적으로 불안해 하고 있다. 그들은 전쟁피해를 어떻게 보상받아야할지 모르고 있다. 아직 새정부도 뚜렷한 정책도 수립하고 있지 않다.

Kuwait

Package deals

It is not only in foreign aid that Gulf countries are husbanding their financial resources (see page 33). Kuwait is making it clear that foreign assets will not be run down to pay for reconstruction, and companies hungry for contracts will have to come up with attractive financing packages.

Judging by the huge success of the "Opportunity Gulf" trade fair held in Dubai at the end of May, companies from all over the world (including those from Eastern Europe) are vying for whatever bits of contracts they can secure for the second and third phases of Kuwait's reconstruction programme. But the stark message from Kuwait City now after the euphoria of the first few weeks' following liberation is that these foreign companies will have to come up with accompanying financing packages, otherwise they will lose out to competitors.

"We will give priority to those firms from countries which participated in the coalition forces, but at the end of the day much will depend on the contract packages including suppliers and export credits", warns Wael al Sagar, director of the Kuwait Investment Company (KIC). "So far Japan has remained behind the scenes and not interfered in the award of the emergency contracts. Maybe the Japanese government has held local companies back. Sooner or later they will come with attractive financing packages. We prefer to give the contracts to British and other coalition firms, but not at all costs. If British firms do not come with finance packages, they will lose out."

Kuwait expects some contracts to have export credit agency backing, some financed through "lump-sum contracts" and others through commercial bank financing. Kuwaiti officials dismiss suggestions that the country is too much of a risk for non-sovereign backed commercial loans. They point to the fact that Kuwait's pre-invasion creditworthiness was excellent and the country has reserves of over $100bn. In fact, Kuwaiti sources stress that contracts may well go to firms from countries which do not have "risk-discrimination" practices against the Gulf state.

Abdullah al Ghanem, the former electricity and water minister, for instance, maintains that "Kuwait has enough financial muscle to finance reconstruction. Kuwait was and still is a rich country and offers substantial business opportunities

The name of the game is refurbishment.

and foreign companies stand a better chance of business if they adopt a long-term approach to the country."

Perhaps more important, according to many Kuwaitis, "the name of the game now is refurbishment and not reconstruction". The country's recovery programme currently breaks down into three phases. Phase I (the emergency programme) is monopolised, to the chagrin of the other coalition partners, by the Americans through the award of the main contract to the US Army Corps of Engineers. It was supposed to have lasted for 90 days but to reflect the difficulty of estimating and repairing damage, the phase has been extended till the end of 1991.

This will be followed by a Phase II recovery and refurbishment stage which may take up to two years and which aims "to restore normal levels of social and economic stability". Phase III will be a reconstruction stage, lasting indefinitely, during which Kuwait's infrastructure, education, training and management will be reviewed and assessed. However, as one British law firm operating in the Gulf, warns "the dynamic nature of events means that the Kuwaitis may need to reassess their objectives as time goes on".

The big contracts, says Al Ghanem, will be to repair damage in the electricity and water power, telecommunications, public works, housing and education sectors. But these will take some time since the new government and the banking sector will

take up to a year to start functioning normally and to resume activities such as foreign trade financing.

The Kuwaitis stress that the sheer logistics of the damage, destruction and pillage which the occupying Iraqis unleashed on their country must be understood. "Everything that could be moved was taken away to Iraq. The damage to the infrastructure is not as heavy as envisaged, so re-equipping Kuwait – everything from office equipment to household goods – will be where the opportunities lie for foreign firms", Al Ghanem says.

Others point out that the private sector is going to play a much bigger role in building up the economy than in the past and as such foreign firms that have links or joint ventures with Kuwaiti counterparts will be at an advantage. However, private sector businessmen are still in the process of returning to the country, although the Kuwait Chamber of Commerce, one of the few buildings left untouched, is operating almost normally.

Nasser Al Sayer, director of the National Bank of Kuwait, has estimated that the revised official figures for emergency reconstruction and refurbishment include $20bn, mostly to rehabilitate the oil sector and to put out the well fires and another $20bn in outlays for purchases and supplies. The demand on public expenditure over the next five years will be big.

However, the challenge of reconstruction and re-equipment over the next year will be to see how effectively the new government takes and implements its decisions. Al Ghanem, for instance, warns that not much will happen in terms of decision-making by August. "Telecommunications are just being restored, but there are still areas without any links at all."

For the moment Kuwait officials discourage foreign businessmen from going to Kuwait unless they have a fixed appointment to see officials or businessmen. There are also the scars of invasion, occupation, war and liberation. "Psychologically, the Kuwaiti people are worried", Al Ghanem admits. "They do not have peace of mind. They do not know whether or how much they will be compensated as a result of the losses due to the invasion and war. There is no clear policy simply because the new government is still studying what to do." ∎

외 무 부

종   별 : 지 급

번   호 : KUW-0523   일   시 : 91 0912 1200

수   신 : 장   관(중동일)

발   신 : 주 쿠웨이트 대사

제   목 : 전후 복구 참여

대: WKU-0349

우리 업체의 대쿠웨이트 상품 수출현황을 아래보고함.

①구매계약 체결

1) 승용차(1,320대) 및 버스(40대): 1,300만불

-대우자동차

2) 동메달 80만개, 은메달 250개, 금메달 250개: 200만불

-대우상사

3) TV, 냉장고등 가전제품: 250만불

-대우상사

4) 철강제등 건설자재 200만불

-삼성물산

5) 아시아 자동차 400대 8백만불

②상담진행중

1) 군복및 군장비: 1,000만불

-고려무역

2) 저장시설및 소형선박: 5천만불

-삼성물산

3) 건설자재: 2천만불

③ 건설분야는 현대가 4개의 중단중인 공사(약2억2천만불) 재개 교섭중임. 건설상황등 전망은 쿠(경)720-101 을 참고하시기 바람.

④ 유정화재 참여 및 소염제등 공급계약: 5억불(8.12자 조선일보 보도, 현지확인 작업중)

- 허에너지및 정화시스템 합작. 끝 (대사-국장)

중아국   2차보   외정실   안기부

91.09.12   20:12 DU

외신 1과 통제관

0125

외 무 부

종 별 :

번 호 : KUW-0536

일 시 : 91 0916 1800

수 신 : 장 관(중동일)

발 신 : 주 쿠웨이트대사

제 목 : 전후복구사업 참여

(손글씨) 예 담면과로직성 , 맛클 金

대:WKU-349,355

연 KUW-523

1. 대호(KUW-355) 다국적군 참여 및 전비지원국들의 복구공사 참여현황은 아래와같음.

 -미국:3억불

 -영국:5천만불(지뢰제거및 유정화재진화)

 -불란서:3천만불

 -이태리:2천만불

 -독일:4천만불

 -사우리:4천만불(하수처리시설 복구)

2. 연호 아국의 대쿠웨이트 수출현황에 아시아자동차회사의 25인승 소형버스 400대(8백만불)를 추가하여 주기 바람. (9.15 동사직원의 당관래방시 확인됨.).끝

 (대사-국장)

중아국   1차보   외정실   안기부   보완관   청와대

91.09.17   15:41 WH

외신 1과 통제관 양

0126

외 무 부

종 별 :

번 호 : KUW-0540

수 신 : 장 관(중동일)

발 신 : 주 쿠웨이트 대사

제 목 : 컴퓨터 산업자료

일 시 : 91 0917 1800

1. 쿠웨이트의 관련업계와 기관에 안내코자하는바, 우리 컴퓨터 산업현황을 일별할수있는 계획된 특별전시회가 있는지 여부와 동 특별 전시회가 아니더라도 이런 목적으로 가볼수 있는 상설전시관이 있는지 여부를 알려주기바람.

2. 위와관련, 우리컴퓨터 산업현황을 소개할수있는 자료도 송부해 주기바람. 끝

(대사-국장)

KOEX ?

268-
4564-5
고려서비스
718-4001
-3
전자공업진흥원
553-0940
-7

중아국

91.09.18   14:01 WG

외신 1과 통제관

0127

주 쿠 웨 이 트 대 사 관

주쿠웨이트(건설) 20617-/ㅗㅗ   1991. 9. 19

수   신 : <u>장관</u> (사본: 건설부장관)

참   조 : 중동아프리카국장

제   목 : 건설시장 동향 보고

　　　　　1. 주재국 정부의 건설사업은 아직 본격적으로 가동되지 않고
있어 91.6 중앙 입찰 위원회 (CTC)가 업무를 개시 하였으나 현재까지
국제 입찰에의한 건설공사 발주는 없었으며, 공공사업부 도로 보수국에서
10건의 소규모 도로 보수 공사 (총 65백만불)를 발주 하였는데 이는 전후
자국 건설 업체의 활성화를 위한 것이라 합니다.

　　　　　2. 정부 예산은 아직도 결정되지 않았는데, 주재국 재무부에
의하면 전년대비 80 % 규모의 정부 예산안을 9월말까지 결정하여 10월중 국무
회의와 국정자문회의의 의결을 거쳐 확정하게 될것이라 합니다.

　　　　　3. 한편 전쟁전 시공중이던 현대건설의 4건 공사의 계속 추진과
관련하여 현대건설이 발주처와 협의를 계속중인데, 이중 <u>공공사업부의 도로
공사 2건은 상당히 의견 접근되어 년내 공사 재개 가능성이 높으나, 수전력부의
저수조공사와 송전선로 공사는 협의에 좀더 시간이 요할 것으로 판단됩니다.</u>
이건 관련 추진 상황은 계속 보고 하겠습니다. 끝.

주 쿠 웨 이 트 대

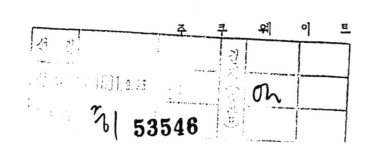

0128

46568

분류번호 문서번호	중동일 720-	기안용지 (720-2327)	시 행 상 특별취급	
보존기간	영구.준영구 34889 10. 5. 3. 1	장 관		
수 신 처 보존기간				
시행일자	1991. 9. 20.			

예 시행물1부
→부장

장 관

문 서 통 제
검인
1991. 9. 26
한지란

보존 기관	국 장	전 결	협 조 기 관		
	심의관				
	과 장				
기안책임자		김 동 억			
경 유			발 신 명 의		
수 신	전자공업진흥회장				
참 조	정보산업부장				
제 목	사본: 주쿠웨이트대사 컴퓨터 산업자료				

주쿠웨이트 대사는 우리나라 컴퓨터의 쿠웨이트시장 개척을

위하여 쿠웨이트내 관련업계와 정부기관에 안내코자 우리나라 컴퓨터

산업현황을 한눈에 볼수있는 계획된 특별전시회가 있는지 또는 상설

전시관이 있는지 여부를 문의하여 오면서 우리나라 컴퓨터 산업현황을

소개할수 있는 자료를 송부하여 줄것을 요청해 왔으니 컴퓨터 특별

전시회 또는 상설전시관에 대한 정보와 동 소개책자를 당부에 송부하여

주시기 바랍니다.   끝.

더 맑은 마음을, 더 밝은 사회를, 더 넓은 미래를

0129

대 한 민 국
외 무 부

중동일 720-   (720-2327)   1991. 9. 26.

수 신 : 전자공업진흥회장 강남구 역삼동 648번지 전자회관

(사본 : 주 쿠웨이트 대사)

참 조 : 정보산업부장

제 목 : 컴퓨터 산업자료

　　　　주쿠웨이트 대사는 우리나라 컴퓨터의 쿠웨이트시장 개척을
위하여 쿠웨이트내 관련업계와 정부기관에 안내코자 우리나라 컴퓨터
산업현황을 한눈에 볼수있는 계획된 특별전시회가 있는지 또는 상설
전시관이 있는지 여부를 문의하여 오면서 우리나라 컴퓨터 산업현황을
소개할수 있는 자료를 송부하여 줄것을 요청해 왔으니 컴퓨터 특별
전시회 또는 상설전시관에 대한 정보와 동 소개책자를 당부에 송부하여
주시기 바랍니다.   끝.

외 무 부 장 관

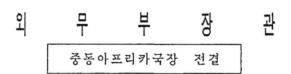

중동아프리카국장　전결

'더맑은 마음을, 더밝은 사회를, 더넓은 미래를'

0130

발 신 전 보

번   호 : WKU-0369   910925 1353 FO   종별 :

수   신 : 주 쿠웨이트   대사. 총영사/

발   신 : 장 관   (중동일)

제   목 : 컴퓨터 산업자료

대 : KUW - 0540

대호 관련, 전자공업진흥회에 자료 요청중인 바, 구득되는 대로 송부
예정임.   끝.

(중동아프리카국장   이 해 순)

분류번호	보존기간

보 안	
통 제	

		기안자 성명		과 장	심의관	국 장		차 관	장 관		
앙 고 재	년 월 일	중동일								외신과통제	

0131

외 무 부

원 본

종 별 :

번 호 : KUW-0562   일 시 : 91 0925 1800

수 신 : 장 관(중동일,통이)

발 신 : 주 쿠웨이트 대사

제 목 : 쿠웨이트 복구참여

연:KUW-378

대:WKU-286

1.쿠웨이트의 전후 복구공사 참여및 상품수출증진에 관심있는 국가들은 상품 및
용역수송을 위한 전대차관, 연불수출등을 제공하여 많은 성과를 올리고 있음.

2.최근의 예로서, 캐나다는 쿠웨이트 복구사업에 필요한 상품과 용역을 수출하기
위하여 5억불의 전대차관 제공협정을 9.24 쿠웨이트와 체결하였으며, 미국
수출입은행도 20억불 전대차관 제공협정을 9.23 체결하였음.끝

(대사-국장)

중아국   통상국 분석관 청와대 안기부

PAGE 1   91.09.26   15:10 WG

외신 1과 통제관

0132

138 걸프 사태 전후복구사업 참여 2

관리	91
번호	-1281

외 무 부

종 별 :

번 호 : KUW-0569

일 시 : 91 0926 1700

수 신 : 장 관(중동일,통삼)

사본 : 상공부

발 신 : 주 쿠웨이트 대사

제 목 : 우리 상품에 대한 평가

연:KUW-568

1. 연호 본직의 쿠웨이트 상공장관 면담시 본직이 우리의 대쿠웨이트 수출부진을 언급한데 대하여, 동장관은 자동차, 전자제품등 한국상품에 대한 쿠웨이트 소비자들의 평가가 매우 낮은데, 이는 부품공급이 안되고 아프터 서비스가 없기때문이라고 지적하였음.

2. 동장관은 상기사항이 시정되면 한국상품의 쿠웨이트 수출이 신장될 것이라고 하였음. 관련업계에서 참고하도록 알려주시는것이 좋을것같아 보고함. 끝

(대사-국장)

예고:91.12.31. 까지

중아국   통상국

PAGE 1

91.09.26   23:48

외신 2과 통제관 FK

0133

주 쿠 웨 이 트 대 사 관

쿠웨이트(경) 720-136   1991. 9. 27.

수 신 : 장   관
참 조 : 중동·아프리카 국장
제 목 : 쿠웨이트 회사와의 합작

        별첨하는 쿠웨이트 회사들은 아국산 특정 제품의 대쿠웨이트 수출과
쿠웨이트에서의 사업 시행을 희망하는 우리 회사들과 합작을 원하고 있음으로
이들이 제시한 별첨 대쿠웨이트 수출 가능품 및 사업 내역을 상공회의소 등 관
련기관에 전달하여 이를 희망하는 우리 업체의 명단과 연락처를 당관에 통보
하여 주기 바랍니다.

유 첨 : 상기 팩스 전문 2부 (영문)   끝.

                              주 쿠 웨 이 트 대

                                                        0134

مؤسسة فـال التجاريـة
FAL TRADING EST.

T E L E F A X

23RD SEPT'1991

TO : COMMERCIAL SECTION

FM : FAL TRADING EST.
     FAX: 00965-2451888

SUB: i) PREQUALIFICATION AND REGISTRATION OF OIL & GAS INDUSTRY
        EQUIPMENT INTERNATIONAL MANUFACTURERS FOR KNPC.

     ii) CONTRACTORS FOR ROADS, PORTS, CIVIL ENGINEERING, OIL WELL-
         DRILLING, MECHNICAL, ELECTRICAL, HYDRO & THERMAL POWER PLANTS.
         TRANSMISSION & DISTRIBUTION LINES, BUILDING CONSTRUCTION.
         FABRICATION & ERECTION OF STEEL, COMMUNICATION & MAINTENANCE.

DEAR SIRS,

i) WE ARE ENCLOSING A LIST OF EQUIPMENTS AND COMMODITIES. KINDLY ASK
THE INTERESTED MANUFACTURERS TO CONTACT US FOR REGISTRATION WITH
KUWAIT NATIONAL PETROLEUM COMPANY.

ii) CONTRACTING COMPANIES THOSE WHO ARE LOOKING FOR KUWAITI SPONSOR.
PLEASE ADVISE THEM TO FAX US AND REQUEST THEM TO ARRANGE
PRE-QUALIFICATION DOCUMENTS FOR FUTURE PROJECTS IN PRIVATE
SECTOR AND GOVERNMENT.

iii) ANY TRADING GROUP IS WILLING TO EXPEND THEIR ACTIVITIES IN THE
STATE OF KUWAIT, WE ARE READY TO JOIN HANDS. KINDLY DIRECT THEM
TO FAX US FOR MORE INFORMATION.

THANKS FOR YOUR COOPERATION AND ASSISTANCE, RESPECTED SIRS,

WITH BEST REGARDS.

MOHAMMAD AZAM CHOUDHRY
DIRECTOR COMMERCIAL.

OUR MANAGEMENT

FAISAL AHMED AL-KHALED   - CHAIRMAN/   KHALED ZAID AL-KHALED
                                       DIRECTOR GENERAL.

***

LUJAIN 44317: تلكس   2451888 : الكويت فاكس   13046 : الصفاة الرمز البريدي   4513 : ص.ب   2452555/666 : هاتف
Tel: 2452555/666 P.O. Box: 4513 Safat Code No. 13046 Kuwait Fax: 2451888 Telex: 44317 LUJAIN

0135

17. WELDING MATERIAL, EQUIPMENT & ACCESSORIES.
18. INSPECTION & CATHODIC PROTECTION MATERIALS.
19. SPECIAL PACKAGE UNITS.
20. PRESSURE VESSELS.
21. REFINERY PROCESSING UNITS.
22. HEAT EXCHANGERS.
23. INSTRUMENTS.
24. BOILERS & FIRED HEATERS.
25. STEAM & GAS TURBINES.
26. INTERNAL COMBUSTION ENGINES.
27. COMPRESSORS & BLOWERS.
28. PUMPS.
29. MATERIALS HANDLING EQUIPMENT.
30. POWER GENERATORS, TRANSFORMERS, RECTIFIERS, ETC.
31. ELECTRIC MOTORS, STARTERS, MCC & CONTACTORS.
32. SWITCH GEARS CIRCUIT BREAKERS & INSTRUMENTS.
33. ELECTRIC CABLES & ACCESSORIES.
34. LIGHTING FIXTURES, CONDUITS & FITTINGS.
35. TELECOMMUNICATION AND ELECTRONIC EQUIPMENT & SUPPLIES.
36. COMPUTER — HARDWARE AND ACCESSORIES.
37. LABORATORY EQUIPMENT & SUPPLIES.
38. MARINE EQUIPMENT.
39. POLUTION CONTROL.
40. FIRE & SAFETY EQUIPMENT.
41. CATALYSTS.
42. EQUIPMENTS & SUPPLIES FOR FILLING STATIONS, CAR WASH STATIONS & DEPOTS.

Local Vendors/Manufacturers can also apply for registration for the following equipment and commodities:

1. CANS, DRUMS & RELATED PACKING MATERIAL.
2. CONSTRUCTION & BUILDING MATERIAL.
3. HAND TOOL.
4. ABRASIVES & GRINDING MATERIAL.
5. FASTENERS.
6. CHAINS & ROPES.
7. AUTOMOTIVE ACCESSORIES.
8. EARTH MOVING EQUIPMENT.
9. DRAFTING, MICROFILMING & SURVEYING INSTRUMENTS.
10. PROTECTIVE WEARS, OFFICE SUPPLIES & EQUIPMENT
11. CATERING EQUIPMENT & SUPPLIES EXCLUDING FOOD SUPPLIES.

NOTES:

1. GENERAL TENDERS ISSUED BY K.N.P.C. AND PUBLISHED IN THE OFFICIAL GASETTE (KUWAIT AL-YOAM) ARE NOT SUBJECT TO THE ABOVE CLASSIFICATION.
2. REGISTRATION REQUIRES SPECIAL AND TECHNICAL INFORMATION CATALOGUES AND TECHNICAL BROCHURES WHICH WILL BE REVIEWED AND EVALUATED. K.N.P.C. IS NOT IN ANY WAY BOUND TO REGISTER EVERY MANUFACTURER/VENDOR WHO HAVE APPLIED FOR REGISTRATION IF FOUND INCOMPLETE OR IF THE REQUESTED DOCUMENTS ARE NOT SUBMITTED.
3. ALL APPLICANTS WILL BE NOTIFIED OF THE OUTCOME OF THEIR APPLICATIONS BY THE VENDORS EVALUATION COMMITTEE OF K.N.P.C.
4. REGISTRATION WILL CONTINUE WITH NO TIME LIMIT.

CENTRAL TENDERS COMMITTEE
SECRETARY

١٠ ـ معدات وإمدادات المكاتب والملابس الواقية .

١١ ـ معدات المطابخ والخدمات الغذائية .

ملاحظات :

١ ـ المناقصات العامة التي تطرحها الشركة خلال جريدة الرسمية لا تخضع لهذا التصنيف .

٢ ـ التسجيل يخضع لشروط فنية خاصة تتم بناء على دراسة النماذج والبيانات الفنية المقدمة ، والشركة غير ملزمة بتسجيل كل من يتقدم اذا لم يكن مستوفيا لهذه الشروط .

٣ ـ ستقوم الشركة باخطار كل من يتقدم كتابيا بنتيجة التسجيل .

٤ ـ المصانع السابق تسجيلها أو تقدمت بطلب قبل هذا الاعلان ، ليست ملزمة بتقديم طلبات جديدة ويعتبر تسجيلها مستمرا .

٥ ـ التسجيل مستمر بدون تحديد موعد محدد .

أمين السر

CENTRAL TENDERS COMMITTEE
KUWAIT

ANNOUNCEMENT FOR
PREQUALIFICATION AND REGISTRATION OF OIL & GAS INDUSTRY EQUIPMENT BY INTERNATIONAL MANUFACTURERS FOR KUWAIT NATIONAL PETROLEUM COMPANY

ANNOUNCE CENTRAL TENDERS COMMITTEE O BEHALF OF The Kuwait National Petroleum Company invit International and Manufacturers/Vendors for the registration the Approved Vendors list for the following Equipments an Commodities. Local Agents can collect application forms togeth with special conditions forms from Central Tenders Committ against non-refundable Payment of K. D. 5/- (Kuwaiti Dina Five only). EFFECTIVE 8/9/1991.

EQUIPMENTS & COMMODITIES

1. CHEMICALS GASES AND CHEMICAL PRODUCTS.
2. METALS, BARS, SHEETS, ETC.
3. WIRE & WIRE WOVEN PRODUCTS (EXCEPT ELECTRICAL).
4. HOUSE & HOSE FITTINGS (EXCLUDING MARINE & FI LIGHTING).
5. PIPING & TUBING (METALLIC).
6. TUBES, PIPES & HEATER FITTINGS.
7. SPECIAL PIPE-FITTINGS & ACCESSORIES.
8. VALVES.
9. GASKETS & GLAND PACKING.
10. PAINTS & RELATED PRODUCTS.
11. THERMAL INSULATION & REFRACTORY MATERIAL.
12. INDUSTRIAL AIRCONDITIONING & REFRIGERATION EQUIPMENT & ACCESSORIES.
13. POWERED TOOLS.
14. BEARING & OIL SEALS.
15. MECHANICAL SEALS, COUPLINGS & GEARS.
16. WORKSHOP MACHINERY

0136

بِسْمِ اللّٰهِ الرَّحْمٰنِ الرَّحِيْمِ

FAX MESSAGE

Fax No. 2405588
2457851

AL AJRAN GEN. TRADING & CONTG. EST.
P.O.Box 376 Safat, 13004 KUWAIT
Tel. : 2435655, 2435755
2453815, 2453816

Date : 25-09-1991   No. of PAGES ___(3)___ (Inc. This)

Ref.   FAX/075/MK   Fax No. 00965-2531816

FROM: AL AJRAN GEN. TRADING & CONTG. EST.
      KUWAIT.

TO : THE REPUBLIC OF KOREA

ATT : COMMERCIAL DEPARTMENT.

SUB : BUSINESS CO-OPERATION IN KUWAIT.

WE ARE SEEKING CO-OPERATION WITH SUITABLE SUPPLIERS,
MANUFACTURERS AND CONTRACTORS FOR THE WORK AS SPECIFIED
ON THE ATTACHED SHEETS.

WE SHALL APPRECIATE IF YOU WOULD KINDLY PROVIDE US THE
NAME, ADDRESS & FAX NO. OF MANUFACTURERS AND CONTRACTORS
COVERING TO THE RESPECTIVE WORK.

ALSO PLEASE KINDLY CIRCULATE OUR ENQUIRY IN YOUR NEXT
COMING BULETTIN OF CHAMBER CIRCULAR, SO THAT INTERESTED
PARTIES MAY CONTACT WITH US DIRECTLY FOR BUSINESS
NEGOTIATIONS.

THANKING YOU FOR YOUR KIND COOPERATION, WE REMAIN,

KIND REGARDS

M. MUSTHAFA
COMMERCIAL MANAGER

0137

بسم الله الرحمن الرحيم

مؤسسة العجران للتجارة العامة والمقاولات
Al-Ajran General Trading & Contracting Est.

Date ....   التاريخ ....

Ref. ....   الإشارة ....

TYPE OF WORK: SECTION:

1. REFINERY PLANT MAINTENANCE: A. HIGH PRESSURE VESSELS & REACTORS
                                    MAINTENANCE.
                                 B. HEAT EXCHANGERS, COOLERS & COND-
                                    ENCERS, HEATERS, RETUBING.
                                 C. LOW PRESSURE EQUIPMENT, PIPING,
                                    VALVES, STEAM TRAPS MAINTENANCE.

2. REFINERY PIPING AND
   ASSOCIATED WORKS,
   GAS, OIL, WATER: A. 12" & ABOVE ASSOCIATED WORK.
                                 B. BELOW 12" & ASSOCIATED WORK.
                                 C. SHOP FABRICATION.
                                 D. FIRE FIGHTING PIPING WORK.

3. STEEL TANKS FOR PETROLEUM
   PRODUCTS: A. TANKS DESIGN SUPPLY & ERECTION WORK
                                 B. TANKS REPAIR WOEK & BOTTOM CHANGING
                                 C. TANKS BOTTOM FIBRE GLASS WORK.
                                 D. TANKS CLEANING & GAS FREEING WORK.

4. INSTALLATION OF INSTRU-
   MENTATION & CONTROL PANELS: A. INSTALLATION OF INSTRUMENTATION
                                    AND CONTROL PANELS.
                                 B. MAINTENANCE OF INSTRUMENTS & CONTROl
                                 C. MAINTENANCE OF ON-LINE ANALYSERS.
                                 D. TELEPHONE NET WORK MAINTENANCE.

5. CHEMICAL & INDUSTRIAL
   CLEANING: A. CHEMICAL CLEANING OF REFINERY
                                    EQUIPMENT (BOILERS & HEAT EXCHANGER!
                                 B. HYDROJETING OF REFINERY EQUIPMENT
                                    (BOILERS & HEAT EXCHANGERS)
                                 C. SEWAGE CLEANING.

6. SANDBLASTING & PAINTING: A. INDUSTRIAL SANDBLASTING & PAINTING
                                    OF PLANT VESSELS, PIPE LINES, TANKS.
                                 B. BUILDING PAINTING WORK.

7. PIPING, TANKS & EQUIPMENT
   THERMAL INSTALLATION WORK: A. HIGH TEMPERATURE INSULATION
                                 B. LOW TEMPERATURE INSILATION.
                                 C. MAINTENANCE & INSTALLATION OF
                                    REFRACTORY WORK.

8. INSTALLATION & MAINTENANCE
   OF FIRE EQUIPMENT.

9. FIRE PROOFING:

CONTD. P. 2.

سجل تجاري ١٩٤٢١ ☎ ٢٤٣٥٦٥٥ - ٢٤٣٥٧٥٥ - فاكس ٢٤٠٥٥٨٨ - ص.ب ٣٧٦ الصفاة الرمز البريدي 13004 برقيا : عجرانكو

Telex: 30874 AGRANCO KT. ـ تلكس ٣٠٨٧٤ عجرانكو كويت ـ

C.R. 19421 - Tel. 2435655 - 2435755 - Fax 2405588 - P.O. Box 376 Safat - Zip Code 13004 - Cabl

0138

بسم الله الرحمن الرحيم

مؤسسة العجران للتجارة العامة والمقاولات
Al-Ajran General Trading & Contracting Est.

Date --   -- التاريخ

Ref. --   -- الاشارة

PAGE. (2)

TYPE OF WORK:	SECTION:
10. CONSULTANCY SERVICES:	A. CIVIL ENGINEERING B. SECURITY & SAFETY. C. MECHANICAL
11. INTERIOR DECORATION, SIGN WRITING & SILK SCREEN PRINTING:	A. INTERIOR DECORATION. B. SIGN WRITING ON WOODEN, PLASTIC & METAL PLATES AND WALLS. C. SILK SCREEN PRINTING.
12. SUPPLY & ERECTION OF STEEL SCAFFOLDING WORKS WITHIN REFINERIES AREAS.:	
13. MARINE CONSTRUCTION AND REPAIRS:	
14. MARINE MOORING AND HOSINING OPERATION.:	
15. LEASING OF MARINE EQUIPMENT.	
16. PLANT, MACHINERY AND MATERIAL INSPECTION.:	A. SHOP INSPECTION. B. SITE INSPECTION. C. METERING CERTIFICATION. D. RADIOGRAPHY.

****

سجل تجاري ١٩٤٢١ ☎ ٢٤٣٥٦٥٥ ـ ٢٤٣٥٧٥٥ ـ فاكس ٢٤٠٥٥٨٨ ـ ص.ب ٣٧٦ الصفاة الرمز البريدي 13004 برقياً : عجرانكو

تلكس : ٣٠٨٧٤ عجرانكو كويت ـ

Telex : 30874 AGRANCO KT.

C.R. 19421 - Tel. 2435655 - 2435755 - Fax 2405588 - P.O. Box 376 Safat - Zip Code 13004 - Cable : AGRANCO

0139

외 무 부

종 별 :

번 호 : KUW-0576

일 시 : 91 0929 1400

수 신 : 장 관(중동일)

발 신 : 주 쿠웨이트 대사

제 목 : 쿠웨이트 복구공사 소요액추산

1. 현재 추진중인 쿠웨이트 예산편성과 관련하여 동 예산안에 책정될 복구공사 소요액은 아래같을 것으로 추산되고있음.

- 유정화재 진압및 원유시설복구: 85억불

- 발전소 복구등: 55억불

2. 한편, 현재까지 불타고있는 유정중 483개 유정의 화재가 진압되었는데, 동 진압에 소요된 경비는 유정 1개당 당초 50만-100만불일것으로 예상되었으나 실제로는 290만불 에서 400만불이 소요되고 있는것으로 알려지고있음. 끝

(대사-국장)

중아국

PAGE 1

91.09.29   20:41 FO

외신 1과 통제관

0140

146 걸프 사태 전후복구사업 참여 2

관리
번호 91
-1345

주 쿠 웨 이 트 대 사 관

주 크 웨 이 트 (정) 10200 -141   1991. 10. 7

수 신 : 장   관

참 조 : 정책기획조정실장, 중동아프리카국장

　　　　　통상국장

제 목 : 주간정세보고

　　　1. 당관은 쿠웨이트 정치, 경제, 통상, 군사 및 사회문화등 제반분야의
일반동향과 새로운 사태발전등에대한 정부의 조치사항 및 우리와의 관계등을 관찰
기록 평가한 결과를 주간별로 보고하고자 1991. 9. 22 - 10. 6 기간분을 별첨으로
보고하니 참고하시기 바랍니다.

　　　2. 정치, 경제등 분야에 있어 새로운 사항이 있을때마다 개별적으로
평가 보고할 예정입니다.

우 첨 : 주간정세보고. 끝.

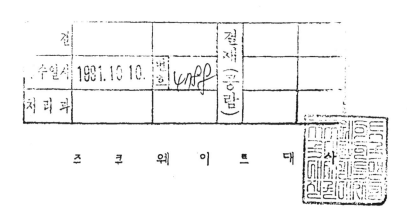

주   쿠   웨   이   트   대

0141

주 간 정 세 보 고

(91. 9. 22 - 10. 6)

1. 정부의 주요발표 또는 조치사항

    1) 15,200 가구에 대하여 가구당 2만KD 지원

       - 경제금융위원회 발표(9. 28)

          o 국회(NATIONAL COUNCIL)건의에 따라

    2) 걸프전중 이라크 지지국가들에 대한 경협중단

       - Kuwait Fund for Arab Economic Development 발표(9. 28)

          o 쿠웨이트에 대한 자세가 충분히 변화되었다는 것이 입증될 때까지

          o 아시아 및 아프리카 국가들(전쟁중 쿠웨이트 지지)에 대한 개발지
            원은 계속

    3) 쿠웨이트 전체 적정인구 150만 예정

       - 쿠웨이트의 현 경제사회규모 및 안보측면에서 적정인구를 150만으로
         본다고 Al-Jassim 기획원장관 발표(9. 28)

2. 국정자문회의(NATIONAL COUNCIL) 주요회의 의제

    1) 권선징악 위원회 설립제의 부결(9. 30)

    2) 언론 및 출판물에 관한 규정 통과(9. 25)

3. 대외관계

    1) 쿠웨이트 국왕 유엔 연설(9. 27)

       - 이라크 점령기간중 이라크군이 납치해간 미석방 쿠웨이트인(2,300명
         추산) 조기 석방위한 국제사회 협조 호소

    2) 쿠웨이트 국왕 미·영·불 수반 면담

       - 미국 부쉬 대통령(10. 1)

       - 영국 메이저 수상 및 대처 전수상(10. 4)

       - 불란서 미테랑 대통령(10. 5)

    3) 이란과의 경제협력협정 체결 추진

       - Al - Jarallah 상공장관 이란 방문(9. 27 - 10. 3)

0142

- 1 -

　　　　　° 협정의 조기체결 가능성 시사
4. 아국 과의 관련사항 및 공관활동
　1) 아국 과의 관련사항
　　- 엑스포 93 참가 적극 추진
　　　° Al - Jaralla 상공장관 언급(9. 26)
　　- 크웨이트주최 국제박람회(92. 2. 26)에 한국등 18개국 참가교섭 발표
　　　° 크웨이트 국제박람회 위원장(9. 25)
　2) 공관활동
　　- 상공장관 면담(9. 26, 대사)
　　　° 엑스포 93 참가건
　　- 상공차관보 면담(10. 6, 대사)
　　　° 아국 상사 지사 직원에대한 체류사증 발급 지연 시정요구
　　　° 북한 통상대표부 개설 활동여부 문의
　　- 10. 3 개천절 리셉션
　　　° 부수상겸 외므장관, 상공장관, 수전력장관등 참석
　　- Al- Sabah 부수상겸 외므장관에 대한 감사서한 전달(9. 24)
　　　° 으리의 으엔가입 협조에 감사하고 향후 협력 다짐
　　- Al- Sabah 크웨이트 NOC 위원장의 아시안 올림픽위원장 당선 축하
　　서한 전달
　　- 크웨이트 체류 아국교민 체류허가 조사

5. 방 문
　1) 주요인사 외국방문
　　- 국왕해외순방
　　　° 애굽, 시리아, 사우디, 미국, 영국, 불란서
　　- 상공장관 이란방문
　　- Hayat 체신장관 제네바 방문(10. 4)
　　　° 통신장비 전시회 참석차
　　- 보사브 장관 트니스 방문(10. 5)
　　　° 16차 아랍보사브 장관회의 참석
　　- Rgohah 석유장관 비엔나 방문(9. 22 - 24)
　　　° OPEC 회의참석

- 2 -

- 국민회의 의장등 의회대표단 IPU 회의 참석차 칠레방문(10. 4)

2) 주요 외국인사의 쿠웨이트 방문

- 미국 중부사령관 Hoar 대장(슈발츠코프 Coatition 사령관후임)
  (10. 2)
  ㅇ 수상 및 국방장관 면담, 신임인사
- 영국 걸프지역 사령관 Billiere 대장(10. 2)
  ㅇ 수상 및 국방장관 면담
- 노르웨이 Haust 국방장관(9. 23)
  ㅇ 수상, 외무장관 및 국방장관 면담

6. 분야별 정세관찰

1) 정치 및 군사

- 불란서와의 군사협정(Military Pact) 체결을 위한 실무협정을 진행중인데, 동협정내용은 영국과 체결추진중인 방위협정과 유사한 내용일 것으로 보임.
- 동 협정은 금년안으로 서명될 것으로 언급되고 있는데 영국측이 7월에 제안한 초안을 쿠웨이트측이 검토하고 있는 것으로 알려지고 있음으로 영국 및 불란서와의 협정체결이 동시에 이루어질 가능성이 많음.

2) 경제 및 통상

가. 전대차관

- 쿠웨이트는 미국 및 카나다와 이들로부터 각기 20억불 및 50억불의 전대차관을 제공받는 협정을 체결하였음.
- 원유판매 수입이 유일한 재정기반인 쿠웨이트로서는 92년말 경에야 원유수출이 전전수준에 이르게 될 것임으로 전후복구공사에 필요한 자재구입 및 기타 상품수입을 위해서는 상기 전대차관확보가 필요한 것으로 보이는데, 향후 전대차관 제공 가능한 국가의 쿠웨이트 복구공사 참여가 활발해질 것으로 보임.

- 3 -

0144

나. 쿠웨이트 민간기업의 적극적 복구공사 참여 예상

- 쿠웨이트 국왕은 9. 29 쿠웨이트 민간 기업들이 전후 복구공사에 적극 참여하여 국가건설에 기여할 것을 호소하였음.

- 이에따라 민간기업들은 보유자본과 기술면에 있어 선진국에 뒤지지 않는다는 자부심을 가지고 동국왕의 호소에 적극 호응할 움직임들을 보이고 있는데, 복구공사의 많은 부분이 이들에게 맡겨질 가능성이 많음.

3) 사회 및 문화

가. 인구정책

- 쿠웨이트 정부는 경제, 사회 및 안보의 정상적인 운영을 위한 적정 인구를 150만명으로 보고 이를 위해 외국노동인력유입축소정책을 시행할 계획임.

- 외국인 노동인력을 전체인구의 35%로 씰팅을 설정하고, 이에따라 노동허가발급을 제한 조치할 예정임.

- 6개부처장관(내무부, 재무부, 상공부, 사회노동부, 기획부, 내각부)으로 구성된 각료위원회를 설치, 노동력 및 인구정책의 검토 수립 예정임.

나. "권선징악" 위원회 설치안 부결

- 최고지도자들은 걸프전 이후 일부국민 특히 청년층의 방종현상을 타파하고 사회기강을 바로잡기 위하여 일종의 종교경찰의 의미를 갖는 권선징악을 위한 위원회를 설치코자 하였으나, 9. 30 국정자문회의 에서 부결하였음.

- 이러한 취지 활동은 별도의 위원회를 구성하지않고, 종전대로 종교부 주관하에 종교지도자들이 맡도록 하였음. 끝.

- 4 -

0145

주 쿠 웨 이 트 대 사 관

주쿠웨이트(건설) 20617 - /5/   1991. 10. 7
수   신 : 장관 (사본 : 건설부장관)
참   조 : 중동아프리카국장
제   목 : 건설시장동향   김시기안

        1. 쿠웨이트 정부의 91/92 회계연도 예산은 10. 1 발표 예정
과는 달리 아직도 공표 되지 않고 있으며 정부 기관 발주 국제입찰 건설공사
도 없었습니다.

        2. 주재국 공공사업부에서 발주 했던 중단공사 2건 (토목)의 재개
와 관련하여 현대건설 현지지사는 지난 10. 3 발주처에 3차 수정 제안서를
제출 하고 계속 협의 중에 있는데, 공공사업부차관은 10. 5 현지 신문과의
대담에서 공공사업부의 중단공사의 조속한 재개를 위하여 특별위원회를 구성
(국장급 4인으로 구성됐다함) 하였다고 발표하면서 우선 시행 대상공사로서
현대건설이 시공중이던 제1순환 도로공사와 텔리콤뮤니케이션 탑과 감사원
본부건물을 적시하고 포장공사등 계약은 내년도로 넘어 갈 것이라고 밝혔습
니다. 수전력부 발주 공사 2건의 재개는 아직 구체적인 진척이 이루어 지지
않고 있으며 수전력부 자체 내부에서 검토중이라 하는데 아직까지 정부 발주
중단공사중 재계약한 국제입찰 공사는 없는 것으로 알려지고 있습니다.

        3. 한편 지난 10. 5 쿠웨이트 민항공국장은 쿠웨이트 국제
공항 신축 공사의 타당성과 실용성 검토를 위하여 전문용역 업체를 고용하고
조사를 착수 하였다고 발표하였습니다. 이는 전쟁 피해때문에 어차피 개수
하여야할 쿠웨이트 공항을 이 기회에 전면적으로 재검토하여, 국제적 규모의
새로운 공항을 건설하고저 하는 것으로 보입니다. 전쟁전에 완료했던 쿠웨이트
공항 건설 공사 타당성 조사 결과를 기초로 재검토 한다 하며 진행 사항은
추후 보고 하겠습니다. 끝.

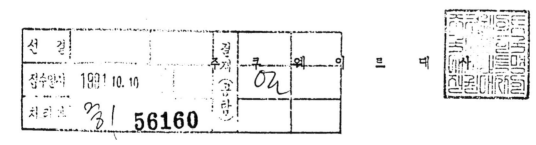

0146

분류번호 문서번호	중동일 720- **3733P**	기안용지 (720-2327)	시 행 상 특별취급	
보존기간	영구·준영구 10. 5. 3. 1		장 관	

<table>
<tr><td>수 신 처
보존기간</td><td></td><td colspan="2" rowspan="2"></td></tr>
<tr><td>시행일자</td><td>1991. 10. 8.</td></tr>
</table>

대 : KUW - 0540

연 : WKU - 0369

대호 관련, 상공부는 91.10.17-22.(6일)간 KOEX에서 제22회

한국전자 전람회를 주최할 예정이라하며 체신부도 제6회 한국 컴퓨터,

소프트웨어 전시회를 92.6.27-7.1.(5일)간 KOEX에서 주최할 예정이라

하니 참고 바라며, 관련자료를 별첨 송부하니 적의 활용 바랍니다.

/계속...

더 맑은 마음을, 더 밝은 사회를, 더 넓은 미래를

0147

첨 부 : 1. 제22회 한국 전자 전람회 개최 현황 안내 1부.

2. 제6회 한국 컴퓨터/소프트웨어 전시회 안내 1부.

3. 정보산업 연감 (1990년)   끝.

0148

외 무 부

종 별 :

번 호 : KUW-0597   경계종   일 시 : 91 10081300

수 신 : 장관(봉삼,중동일)   사본:243부

발 신 : 주 쿠웨이트 대사

제 목 : 쿠웨이트 복구사업에 대한 각국 FINANCING 실태

연:KUW-378,562

1. 쿠웨이트의 복구사업및 이에따른 상품수입과 관련하여 쿠웨이트 정부는 그간 각국으로 부터 전대차관 또는 수출신용 보증등 CREDIT FACILITIES 를 제공받기 위한 교섭을 해왔는데, 지금까지의 동결과는 아래와같음.

1)미국 수출입은행

-20 억불 한도내의 수출신용 보증

2)카나다(THE EXPORT DEVELOPMENT CORPORATION)

-전대차관 5 억불 제공

3)네델란드(ABN-AMRO)

-수출신용보증 6 억불

4)영국(EXPORTS CREDITS GUARANTEE DEPT.)

수출신용보증 7 억파운드

5)일본 봉산성

수출보증 재개 30 억엔(전쟁발발과 더불어 중단되었음)

6)말레이시아 상업은행

-복구공사 사업지원 8 백만불

7)이슬람 개발은행(젯다)

-복구사업 지원 5 억불

8)카타르 이슬람은행

-복구공사 지원 5 백만불

2.92 년부터 2 년간 실시될 2 단계및 그후 있을 3 단계 복구사업에는 400 억불의 자금이 소요될것인데, 쿠웨이트 정부는 이를위해 국제금융 기구로부터 300억불을

롱상국   2차보   중아국

PAGE 1

91.10.09   00:58

외신 2과 통제관 CH

차입키로 결정한바 있었으나 이거이 지연되고 있음으로 전기 1 항과 같은 FINANCING 을 교섭한것으로 보임.(쿠웨이트가 보유하고있는 해외자산 1 천억불중 400 억불만이 현금화 할수있는 유동성자산인데, 이를 처분하기보다는 상기방법으로 재원을 마련토록 결정한것으로 보임)

3. 쿠웨이트 정부당국자는 수복후 긴급 복구계획기간중에는 공사발주및 상품수입에 있어 미국에 특혜를 주었던것은 사실이나 그이후 단계부터는 금융제공 기능국가들을 호의적으로 대우하겠다고 언급하고있음.

4. 상기 영국및 화란에 이어 다수 E.C 국가들이 금융을 제공할것으로 전망되는바, 앞으로 쿠웨이트 복구사업에는 동금융제공 국가들의 참여가 활발할것으로 보임.끝

(대사-국장)

PAGE 2

0150

외 무 부

종 별 :

번 호 : KUW-0597　　　　　　　　　　　　일 시 : 91 10081300

수 신 : 장관(봉삼,중동일)

발 신 : 주 쿠웨이트 대사

제 목 : 쿠웨이트 복구사업에 대한 각국 FINANCING 실태

연:KUW-378,562

1. 쿠웨이트의 복구사업및 이에따른 상품수입과 관련하여 쿠웨이트 정부는 그간 각국으로 부터 전대차관 또는 수출신용 보증등 CREDIT FACILITIES 를 제공받기 위한 교섭을 해왔는데, 지금까지의 동결과는 아래와같음.

　　1)미국 수출입은행

　　-20 억불 한도내의 수출신용 보증

　　2)카나다(THE EXPORT DEVELOPMENT CORPORATION)

　　-전대차관 5 억불 제공

　　3)네델란드(ABN-AMRO)

　　-수출신용보증 6 억불

　　4)영국(EXPORTS CREDITS GUARANTEE DEPT.)

　　수출신용보증 7 억파운드

　　5)일본 봉산성

　　수출보증 재개 30 억엔(전쟁발발과 더불어 중단되었음)

　　6)말레이시아 상업은행

　　-복구공사 사업지원 8 백만불

　　7)이슬람 개발은행(젯다)

　　-복구사업 지원 5 억불

　　8)카타르 이슬람은행

　　-복구공사 지원 5 백만불

　　2.92 년부터 2 년간 실시될 2 단계및 그후 있을 3 단계 복구사업에는 400 억불의 자금이 소요될것인데, 쿠웨이트 정부는 이를위해 국제금융 기구로부터 300억불을

통상국　　2차보　　중아국

차입키로 결정한바 있었으나 이거이 지연되고 있음으로 전기 1 항과 같은 FINANCING 을 교섭한것으로 보임.(쿠웨이트가 보유하고있는 해외자산 1 천억불중 400 억불만이 현금화 할수있는 유동성자산인데, 이를 처분하기보다는 상기방법으로 재원을 마련토록 결정한것으로 보임)

3. 쿠웨이트 정부당국자는 수복후 긴급 복구계획기간중에는 공사발주및 상품수입에 있어 미국에 북혜를 주었던것은 사실이나 그이후 단계부터는 금융제공 기능국가들을 호의적으로 대우하겠다고 언급하고있음.

4. 상기 영국및 화란에 이어 다수 E.C 국가들이 금융을 제공할것으로 전망되는바, 앞으로 쿠웨이트 복구사업에는 동금융제공 국가들의 참여가 활발할것으로 보임.끝

(대사-국장)

외 무 부

종 별 :

번 호 : KUW-0607

일 시 : 91 1013 1400

수 신 : 장 관(봉삼,중동일)

발 신 : 주 쿠웨이트 대사

제 목 : 쿠웨이트 원유수출

1. 쿠웨이트는 현재 27 만 B/D 의 원유를 생산하여 12 만 B/D 씩 수출물량을 확보하고 있는데, 금년말까지는 40 만 B/D 생산이 가능하고,92. 7 월에는 80 만 B/D 을 생산하게 될것으로 알려지고있음.

2. 그간 미국에 1 회, 일본에 3 회 원유를 수출하였고, 곧 대만에도 수출할예정이라고함.

3. 이와같이 쿠웨이트의 원유생산량이 점차로 증가하고 있으나, 그동안 쿠웨이트의 전전 OPEC 쿼타 생산량을 사우디가 생산, 수출하고 있었음으로 쿠웨이트의 전전 OPEC 쿼타생산량을 되돌려받는것이 용이한문제가 아니어서 쿠웨이트에는 원유 생산량증가에 따른 판로확보가 큰문제로 대두될것으로 전망되고있음.

4. 쿠웨이트는 판매선 물색에 고심하고 있는데, 우리가 쿠웨이트로 부터 원유 수입을 재개할 계획이 있는지 여부를 지급회시바람. 쿠웨이트의 원유 수출회사인 KNPC 관계자가 서울에 출장하여 극동, 유공등 석유회사에 판촉활동을 할 예정이라고하며, 우리가 속히 쿠웨이트 원유수입을 재개 해 줄것을 바라고있음. 끝.

(대사-국장)

통상국   차관   1차보   2차보   중아국   분석관   청와대   안기부

91.10.13   21:25

외신 2과   통제관 BS

0153

외 무 부

종 별 :

번 호 : KUW-0609

일 시 : 91 1013 1500

수 신 : 장관(봉삼,중동일)

발 신 : 주쿠웨이트대사

제 목 : 쿠웨이트 OFFSSET TRANSACTIN PROGRAMME 채택추진

　　1.쿠웨이트 해외투자 공사(KUWAIT INTERNATIONAL INVESTMENT CORPORATION)는 쿠웨이트 정부가 외국회사로 부터 각종장비,기술용역및 소비재를 구매하거나 이들에게 자본집약 사업을 발주할때 OFFSET TRANSACTION PROGRAMME 적용을 추진하고있음.

　　2.KIIC 가 추진중인 OPT 는 쿠웨이트 정부와 거래를 갖게되는 외국회사는 쿠웨이트 국내 또는 쿠웨이트가 지정하는 제3국(쿠웨이트가 재정지원을 하고자 하는 국가)에 거래금액의 35프로를 5-10년간 투자하여야 하는것을 골자로 하고있는데,국왕및 수상의 원칙적인 허가를 받았음으로 금명간 재무,상공등 각료들은 위원회를 구성하여이에대한 일반지침(GENERAL GUIDELINE)을 마련할 예정이라고함.

　　3.KIIC 는 우선 쿠웨이트 항공사가 구매계약 체결한(91.4) 10억불 상당의 AIRBUS도입에 OTP를 적용하는 문제를 검토하고 있다고 하고,이를 추진코자 하는 이유로서한국을 비롯한 여러국가들이 이미 오래전에 이를 채택하여 거래관계국 쌍방이 이득을 보고 있기 때문이라고함.

　　4.KIIC 가 이를 적극 추진하고 있는데 반해 정부관련 부처 장관들이 이에 매우 소극적 자세를 취하고 있기때문에 동실시여부는 금년말이나 되어야 확실히 알수 있을것 이라고함.끝

　　(대사-국장)

통상국　　1차보　　2차보　　중아국

PAGE 1

91.10.13　21:24 DQ

외신 1과 통제관

0154

"中東자유무역지대 活用을"

12개國 42곳 域外국가들 차별 극복가능

貿公「현황」소개

우리기업이 중동각국에 설치돼 있는 자유무역지대를 적극 활용할 경우 블록화에 따른 역외국가의 차별을 극복하고 나아가 아프리카·東歐지역과의 중계무역도 간할 것으로 지적됐다.

14일 貿公이 펴낸 「중동의 자유무역지대 현황과 활용방안」에 따르면 중동 각국은 낙후된 산업을 육성하고 외국투자를 유치할 목적으로 12개국이 42개 자유무역지대를 설치, 운영하고 있는데 우리기업이 이들 자유무역지대를 활용할 경우 유럽시장진출의 우회기지 설치는 물론 아프리카와 중동역내시장 진출을 위한 중계무역대로도 큰역할을 할수 있을 것으로 기대되고 있다.

貿公은 중동각종 이집트의 포트 사이드를 비롯, 5개의 자유무역지대를 설치하고 있으며 이지역을 유럽공동체(EC)와 알제리·리비아 시장 중·소형 생산시설부터 시작하는것이 바람직할 것으로 지적했다.

역지대를 설치, 운영하고 국내시장을 겨냥한 단순상품수출이 가능할 것으로 분석했다.

또 14개의 공단전부가 자유무역지대 역할을 하고있으나 우리기업의 진출할때 용목표시장으로 삼을수있는 용목표시장으로 전망했다.

貿公은 이어 모로코 탐제 자유무역지대를 활용하면 유럽하고 걸프전 종전후 중동질서 재편에 따라 아랍의 反이스라엘 정책이 완화되고 있는 분위기를 이용, 이스라엘의 하이파·에일라트 자유무역지대를 이용하면 특히 이스라엘제품에 대하여 아무런 수입규제를 하지 않고있는 미국과 유럽시장 진출에 용이할 것으로 전망했다.

50912 　기 안 용 지

분류기호 문서번호	통삼 20655-	(전화:720-4748)	시 행 상 특별취급	
보존기간	영구.준영구. 10. 5. 3. 1.	장 　 관		
수 신 처 보존기간				
시 행 일 자	1991.10. 14.			

보조 기관	국 장	견 견	협 조 기 관		문 서 통 제
	심 의 관				검열 1991. 10. 17
	과 장				통제관
기안책임자	김 영 준		발 송 인	

경수 참조	유신조	대한무역진흥공사 사장	발신명의	

제 　 목	쿠웨이트 국제 박람회

　　　　관련 : 무공전시 제 1059호 (91.8.19)

　　표제박람회와 관련, 쿠웨이트 박람회 당국이 현지 공관을

　통해 송부해 온 안내자료및 신청서를 별첨 송부하니, 동 박람회에

　아국업체가 많이 참가할 수 있도록 홍보 바랍니다.

　　　첨 　 부 : 동 안내자료 및 신청서 각 2부. 　　　끝.

0156

주 쿠 웨 이 트 대 사 관

주 쿠웨이트(경) *720-142*   1991. 10. 7

수 신 : 장   관

참 조 : 통상국장

제 목 : 쿠웨이트 국제박람회

          연 : KUW - 506

          대 : WKU - 342   *9.10.*

          쿠웨이트 박람회 당국이 당관으로 송부한 표제 관련 문건을
별첨으로 송부하니 코트라등 관계 기관에 이첩하여 주고, 표제에 다수의
아국업체가 참가 하도록 계속 독려하여 주기 바랍니다.

    유 첨 : 상기문건 2부. 끝.

선 결			주 결 재 (공 란)	쿠	웨	이	트	사
접수일자	1991. 10. 10							
처 리 구	56170							

0157

외 무 부

종 별 :

번 호 : KUW-0650   일 시 : 91 1023 1800

수 신 : 장 관(통일)

발 신 : 주 쿠웨이트대사

제 목 : 수출입 통계자료

　　　대:통일 2065-37677

　　　대호, 91.1-7 기간 우리와 쿠웨이트와의 품목별수출입 통계를 송부해 주시기바람.

끝

　　(대사-국장)

통상국

PAGE 1   91.10.24   15:19 WH
                                      외신 1과 통제관

                                      0158

외 무 부

110-760 서울 종로구 세종로 77번지 / (02)725-0788 (02)723-8566

문서번호 통일 2065- **39012**

시행일자 1991.10.25.(   )

취급		장 관	
보존			
국 장	전 결		
심의관	춘강		
과 장	狗		
기안	전 욱		협 조

수 신   주 쿠웨이트 대사

참 조

제 목   수출입 통계자료

대: KUW-0650

대호로 요청하신 대주재국 품목별 수출입 통계(91.1-7) 자료를
별첨 송부합니다.

첨부: 상기자료 1부. 끝.

0159

대쿠웨이트 품목별 수출입 실적('91.1-7)

수	출	수	입
품 목 명	실 적	품 목 명	실 적
화학공업제품	59	광 산 물	190
플라스틱:고무및 가죽제	137	화학공업생산품	3,369
비금속 광물제품	1	섬 유 류	606
섬 유 류	1,310	기계류 및 운반용기계	19
생 활 용 품	302		
철강, 금속제품	169	전자 및 전기	1
전자 및 전기	6,137		
기계류 및 운반 용기계	1,037		
잡 제 품	31		
합 계	9,183	합 계	4,185

0160

→ 통일

서명

외 무 부

종 별 :

번 호 : KUW-0652
일 시 : 91 1024 1800

수 신 : 장 관(중동일,통삼)

발 신 : 주 쿠웨이트 대사

제 목 : 국산가구 수출

1. 쿠웨이트 공공건물, 개인건물 및 고급주택 내부시설 대부분이 이라크군의 약탈,방화 및 파괴행위로 많은 피해를 입었는데, 그중에서도 특히 건물내부의에 따라 가구에 대한 수요가 큼.

2. 현재 미국제 가구가 품질 및 가격면에서 가장유리하여 이에대한 수요가 많은데,쿠웨이트 한업자는 국내 VIP 가구회사 제품이 품질면에서 미국제 가구 와 경쟁해 볼만한것으로 생각된다고 하며, VIP 직원이 당지에 상주하면서(장기체류 를 예정, 아파트를 임차하겠다고함) 동인과 판매전략을 협의하여 정부 각 부처및 공공기관등을가구입찰에 적의 대응하면 큰성과가 있을것으로 판단된다고 하였음.

3. 당관도 동인판단이 옳다고 생각되므로, VIP 측에 의견을 전달하여 주시고, 구체적 사항은 263-4199(FAX) ADNANAL-SALEH 와 협의토록 권유, 결과를 당관에 통보해주시기바람. 끝.

(대사-국장)

중아국 통상국

PAGE 1

91.10.26 01:53 FO

외신 1과 통제관

0161

걸프사태 : 전후복구사업 참여, 1991-92. 전6권 (V.5 1991.4-12월) 167

외 무 부

종 별 :

번 호 : BHW-0460

일 시 : 91 1102 1400

수 신 : 장 관(봉일)

발 신 : 주 바레인 대사

제 목 : 쿠웨이트 복구사업 전시회(자료응신 제39호)

연:바(경)20600-93(91.4.22)

1. 연호, 표제 전시회가 금 11.2-11.7간 34개국 700여업체 참석리에 개막 되었음.

2. 동 전시회는 걸프사태이후 쿠웨이트 복구사업과 관련 개최되는 최초의 대규모전시회이며, 아국은'선경' 1개 업체만이 참석하고 있음.

3. 한편, 동 전시회 참관차 당지를 방문중인 BADER AL RIFAI 쿠웨이트 기술협회(KUWAIT SOCIETYOF ENGINEERS) 회장은 쿠웨이트의 INFRASTRUCTURE를 전쟁전으로 회복하는 데에는 최소한 3년정도는 걸릴 것으로 본다고언급하였음.

4. 동 전시회 기간 중 당지-쿠웨이트 간에는 SUTTLE 항공편이 운항되고 있다함. 끝.

(대사 곽희정-국장)

통상국   2차보   중아국   청와대   안기부

PAGE 1

91.11.02   21:48 FN
외신 1과 통제관
0162

외 무 부

종 별 :

번 호 : KUW-0692   일 시 : 91 1109 1800

수 신 : 장관(봉삼,중동일)

발 신 : 주쿠웨이트대사

제 목 : 일본의 대쿠웨이트 전대차관 설정

연:KUW-597

1. 일본정부는 걸프전으로 중단되었던 30억엥의 수출보험을 91.8월 재개한바 있는데 이에 추가하여 일본 재무부는 최근에 쿠웨이트에 대해 10억불의 전대차관을 제공하는 협정을 쿠웨이트 해외 투자공사와 체결하였음.(신문보도)

2. 쿠웨이트가 독일,스위스,미국등 은행 24개로 부터 50억불의 공공차관을 도입할때 일본은 10억불을 제공(동경,후지 후지모토및 산업은행은 각기 2.5억불씩)하기로 했는데 위 10억불은 이와는 별도의 상품 수출차관인 것으로 생각됨.끝

(대사-국장)

통상국   2차보   중아국   외정실   정와대   안기부

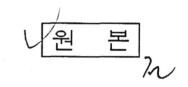

외 무 부

종 별 :

번 호 : JDW-0182　　　　　　　　일 시 : 91 1110 1350

수 신 : 장 관(봉일,중동일,사본:주 사우디대사-중계필)

발 신 : 주 젯다 총영사

제 목 : 동 아시아물산전 개최결과 보고

대: AM-0188

1. 표제 물산전이 10.20-25간 당지 젯다 상공회의소 전시장에서 아국을 비롯한 일본, 태국, 인니, 말련, 대만등 아시아 6개국 주요업체가 참석한 가운데 개최된바 있음.

2. 아국은 삼성전자, 금성사, KAL, 로만손시계및 세현물산이 자사제품등을 출품하였는 바, 최근집계된 동전시회중 상품계약 실적은 로만손시계 280만불및 현지대리점개설계약, 세현물산(종이백생산업체)18만불임. 삼성전자및 금성사의 경우자사 제품에 대한 이미지 제고에 주력하여 현지대리점을 통한 상품판매가 크게 신장될것으로 전망됨.끝.

(총영사-국장)

통상국　　　중아국

PAGE 1　　　　　　　　　　　　　　　　　　91.11.10　21:34 FO

외신 1과 통제관

0164

외 무 부

종 별 :

번 호 : JDW-0183   일 시 : 91 1110 1400

수 신 : 장 관(통일,중동일,사본:주 사우디대사-중계필)

발 신 : 주 젯다 총영사

제 목 : 무역사절단 방문결과보고

대: AM-0188

1. 표제사절단(8개 중소업체대표로 구성)은 11.5-8 간 당지를 방문, 주재국 업계인사 들과 수출상담을 진행하였는 바, 상품계약실적 약 55만불, 상담진행 1백85만불상당등의 성과를 거둔바 있음.

2. 소직은 11.6 동사절단 전원과 당지 상공회의소인사, 유력경제인및 수입업자등을 만찬에 초대, 동사절단 활동을 지원하였음.끝.

(총영사 -국장)

통상국   중아국

PAGE 1   91.11.10   21:40 FO

외신 1과 통제관

0165

외 무 부

종 별 :

번 호 : KUW-0710   일 시 : 91 1116 1800

수 신 : 장 관(봉삼,중동일)

발 신 : 주 쿠웨이트 대사

제 목 : 쿠웨이트 대미 수출신용 증액추진

    연:KUW-597

    대:중동일 720-50441

    1.쿠웨이트는 연호 미국으로 부터 제공받은 20억불의 수출신용에 추가하여 이의증액을 추진중인데,동 20억불은 정부 각부처의 물자구입에 우선적으로 배정할 예정인것으로 알려짐.

    2.쿠웨이트가 동수출 신용을 증액코자 하는것과 관련하여 미국 수출입은행 대표단이 쿠웨이트를 방문,동수출신용 사용현황을 조사중인데,쿠웨이트는 위험도가 낮고신용이 높은국가로 분류되어 있다고 언급하였음.

    3.쿠웨이트내 미국 상품전시회,미국 경제계 주요인사의 빈번한 쿠웨이트 래방등미국의 대쿠웨이트 수출증대 노력을 감안할때 미국 수출입은행은 쿠웨이트측 요청에따라 수출신용을 증대시켜 줄것으로 보임.끝

    (대사-국장)

통상국   2차보   중아국   청와대   안기부

주 쿠 웨 이 트 대 사 관

주쿠웨이트(경) 10200-201   1991. 11. 18

수   신 : 장 관   사   본 : 상공부장관

참   조 : 통상국장, 중동아프리카국장

제   목 : REBUILD KUWAIT 국제박람회 참관보고

　　　쿠웨이트의 전후복구사업과 관련하여 1991. 11. 4 - 7간 바레인에

서 REBUILD KUWAIT 국제박람회가 쿠웨이트 및 바레인 상공부 공동주최로 개

최되었는데 동 참관 보고서를 별첨으로 제출합니다.

유   첨 : REBUILD KUWAIT EXHIBITION   참관보고서. 끝.

선 결			결재(공란)		
접수일시	1991. 12. 5	68847			
처리과					

주 쿠 웨 이 트 대

0167

REBUILD KUWAIT   '91 국제박람회 참관보고서

(바레인(마나마) 91. 11. 4 - 7)

1. REBUILD KUWAIT '91은 쿠웨이트의 전후 복구사업과 관련하여 이에 필요하리라고 예상되는 건설기자재, 일반기계 및 전기·전자제품등 내구소비재를 소개하기 위한 목적으로 쿠웨이트 및 바레인 정부가 공동으로 주관하였음. 전시기간중 주로 쿠웨이트, 사우디 및 바레인을 비롯한 GCC 제국의 기업인과 일반인 10여만명이 참관하였다고 함.(박람회 사무국측 설명)

2. 이에는 42개국의 982개 업체가 참가하였고 10,000여명의 전시관리요원이 파견되었는데, 미국과 카나다, 영국, 프랑스를 위시한 E.C 국가들은 2 - 3개의 독립관 규모로 참석하였으며, 아시아지역에서는 중국, 일본, 인도 및 호주가 독립관을 운영하였고, ASEAN 국가들은 한개의 독립관을 공동으로 이용하였음.

3. 미국과 영국, 프랑스 E.C 국가들은 건설기자재, 수송장비, 환경보호장비, 내장재, 컴퓨터, 각종 기계류 및 도구를 전시하였고 일본의 전시품은 전기 전자제품이 주종을 이루었으며, 중국은 원유 시설 기자재, 기계류, 싱가폴을 제외한 ASEAN 국가들은 주로 내장재와 가구류를 전시하였는데, 싱가폴은 사진을 통한 정유시설 기자재를 출품하였음.

4. 우리측에서는 선경 종합상사가 참가하여 $25m^2$ 정도의 전시장에 전선, 신발, 비데오테이프와 섬유류를 전시하였는데, 다른 전시장에 비하여 관람자가 거의 없었음. 이는 전시품목이 ASEAN 국가들에 비하여도 매우 빈약했기때문인 것으로 보이는데, 이 박람회가 쿠웨이트 전후 복구사업에 필요한·물자나 상품을 소개하는데 그 취지가 있었던 만큼, 이 취지에 호응되는 품목들을 전시했어야 좋았을 것으로 사료됨.

0168

5. 92. 2. 26부터 쿠웨이트에서 국제박람회가 열릴 예정이고 (KUW - 506),
이에는 16개의 우리 업체들이 참가할 것으로 보이는데, 이 박람회가 쿠웨이트
복구 사업에 필요한 물품을 소개하기 위하여 개최된다는 것과 쿠웨이트 시장이
비록 협소하고 이라크와 같은 배후시장을 잃기는 하였으나 이란등 인근국가들
과의 통상이 번성해가고 있음을 감안하여, 우리업체들이 보다 충실한 상품을 전시
하도록 지도해야할 것으로 사료됨. 끝.

0169

외 무 부

종 별 :

번 호 : KUW-0711

수 신 : 장 관(중동일)

발 신 : 주 쿠웨이트 대사

제 목 : 페리보트

일 시 : 91 1116 1800

대:WKU-437

MUSSALAMCO 측은 대호 필요 문건을 DHL 로 일주측에 이미 송부하였다고 하며, 가능한한 조속히 가격을 제시하여 줄것을 요청하고 있으니 일주측에 전달바람.끝

(대사-국장)

중아국

PAGE 1

ILJU INTERNATIONAL, INC.   TEL: (02) 424-4077/8
YOUNGDONG P.O.BOX NO. 800   TLX: K28810 ILJUINC
SEOUL, KOREA   FAX: (02) 424-4079

REF. NO.: IJF-33/11/91   DATE: NOV 20, 91

외   무   부
중 동 · 아 프 리 카 국
중   동   1   과
김 종 억 서 기 관 님 (FAX NO.: 720-2686)

쿠웨이트의 MUSALLAMCO에서 당사로 보내 온 CAR FERRY의 GENERAL
ARRANGEMENT (일반 배치도)를 한진 중공업에 전달 했으나 ①DETAILED
SPECIFICATIONS이 없이는 견적을 낼 수가 없다고 합니다. MUSALLAMCO
측에 직접 FAX를 낼 때도 상기 GA와 함께 DETAILED SPECS을 요청
했습니다만 보내 오지 않았습니다. MUSALLAMCO는 당사로 직접 회신을
보내지 않기 때문에 번거러우시겠지만 주 쿠웨이트 대사관을 통해 DETAILED
SPECS을 독촉해 주시면 감사 하겠습니다.
아울러 PATROL BOAT의 판매 가능성도 한번 더 타진해 주시기 바랍니다.
②

(주) 일   주   상   사

김   무   장

0171
*** END ***

발 신 전 보

번 호 : WKU-0467   911121 1704   DW   종별 : _____

수 신 : 주 쿠웨이트   대사.//총영사

발 신 : 장 관 (중동일)

제 목 : 페리보트

연 : WKU·0437, 중동일 720-41139

대 : KUW-0677

　　　대호 무쌀람코측이 일주상사에 보내온 CAR FERRY의 GENERAL ARRANGEMENT(일반
배치도)는 한진측에 전달되었으나 DETAILED SPECIFICATIONS가 누락되어 견적을 낼수
없다하니 무쌀람코측이 동 DETAILED SPECS를 조속 송부토록 독촉바라며 연호 PATROL
BOAT의 판매가능 여부도 조속 보고 바람.　　끝.

(중동아프리카국장　이 해 순)

앙고 재	위년월일	기안자 성명		과 장	신의관	국 장		차 관	장 관	

보안통제 :

외신과통제 :

0172

외 무 부

종　별 :

번　호 : KUW-0732　　　　　　　　일　시 : 91 1123 1400

수　신 : 장관(중동일)

발　신 : 주쿠웨이트대사

제　목 : 페리보트

대:WKU-467,중동일 720-41139

　　1.무쌀람 사장은 현재 이란 체재중이며 11.25 귀국예정이라함으로 귀국하는대로곧 대호 DETAILED SPECE를 일주측에 송부토록 당부하였음.

　　2.대호(41139) PATROL BOAT 관련,비전문가가 쉽게 설명할수 있는 기술적인 정보및 자료와 외형및 주요세부 사항에 대한 사진과 함께 가격을 제시하여 주면 당관이 직접 국방부 또는 내무부와 접촉하여 판매가능성을 타진하겠음.

　　3.대호로 송부한 사진은 PATROL BOAT 를 소개하거나 구매를 권유하기에는 적당치 않은것으로 보여 당관이 보관중임.끝

　　(대사-국장)

중아국

91.11.23　　20:13 DQ

외신 1과 통제관

0173

72

외 무 부

종 별 :

번 호 : KUW-0765   일 시 : 91 1203 1400

수 신 : 장 관(중동일,통삼 사본:대한무역진흥공사사장)

발 신 : 주 쿠웨이트 대사

제 목 : 상품카다록 전시회 개최 결과보고

연: 주쿠웨이트(경) 2582-69

1. 당관은 연호 우리업체의 상품카다록 전시회를 아래와같이 개최하였음.

　가.기간:91.11.25-12.2

　나.장소:대사관 청사내(영사민원실)

　다.카다록 제공 우리업체:40개업체 1,200여부(본부송부36개업체 1,085부)

　라.쿠웨이트 참관회사및 인원:118개 업체 150여명참관

-ARAB TIMES(영자)및 AL-SEGASHA(아랍어)에 각기1회씩 안내광고 게재

-쿠웨이트 수입업체등 250개 업체에 안내회람발송

2.쿠웨이트 참관업체의 주요관심분석

-우리 업체가 소량주문을 수락하는지여부

-관심품목에 대한 한국내 전문 전시회개최 여부(91.12-92.6간 서울개최 예정 23개전문전시회소개)

　-카다록 제공업체와의 거래 연계 주선요청

산업기자재 보다는 주로 소비재 수입에 보다 큰관심

-가전제품,자동차 부속품,의료기구,가구,의류에많은관심 표시

3.전시 참관업체의 약 10프로는 우리업체와처음으로 거래를 해보려는 업체들이었고,신규중.소업체가 많았음.

4.금번 전시기간중 대호로 송부된 카다록의 코트라가그간 보유하고 있던 카다록이 거의 소진될 정도로좋은 성과를 거두었고,또이를 통해서 우리업체와그상품의 쿠웨이트내 소개가 크게 이루어진 것으로당관은 평가하고 있는데,가능하면 당관비치및소개를 위하여 금번에 참가치 않은 업체의카다록을 송부하여 주시면 추가 배포하겠음.끝

중아국   통상국   대한무역진흥공사

PAGE 1   91.12.03   20:39 FO

외신 1과 통제관

0174

분류번호 문서번호	중동일 720- **45223**	기안용지 (720 2327)	시 행 상 특별취급	
보존기간	영구:준영구 10. 5. 3. 1		장 관	
수 신 처 보존기간				
시행일자	1991. 12. 5.			

예

보조 기관	국 장	전 결	협 조 기 관		문서통제 검열 12. 06 통제관
	심의관				
	과 장				
기안책임자	임 현 재			발 송 인

경 유		발신명의	
수 신	주 쿠웨이트대사		
참 조			

제 목	페 리 보 트

대 : KUW 0732

일주 상사측이 보내온 대호 Patrol Boat의 Detailed Specs를

별첨 송부 합니다.

첨 부 : 상기 자료 사본 1부.　　끝.

더 맑은 마음을, 더 밝은 사회를, 더 넓은 미래를

0175

발 신 전 보

분류번호	보존기간

번   호 : WKU-0507   911210 1323 DQ   종별 :

수   신 : 주 쿠웨이트   대사. // 총영사

발   신 : 장 관 (중동일)

제   목 : 페리보트

대 : KUW - 0732

일주축은 무쌀람코측이 대호 페리보트의 DETAILED SPECS를 가능한 조속히
송부하여 줄것을 요청하고 있으니, 조치바람.   끝.

(중동아프리카국장   이 해 순)

보 안 통 제	

앙고재	기안자 성명	과 장	국 장	차 관	장 관	외신과통제
91년 12월 10일						

0176
~~0175~~

외 무 부

종 별 :

번 호 : KUW-0787

수 신 : 장관(중동일)

발 신 : 주 쿠웨이트 대사

제 목 : 페리보트 @

일 시 : 91 1211 1400

대:WKU-507

연:KUW-677

1.무쌀람코 사장에게 대호 상세 사양서(DETAILED SPECS)를 가능한대로 빨리 일주측에 송부하여줄것을 요청하였음. 동인은 이미 송부한 일반배치도(GENERAL ARRANGEMENT)를 토대로 일주측이 사양서를 제작, 이에따른 가격을 제시하여야 할 것이라고하였음.

2.그러나 동사장은 일주측이 꼭 필요하면스웨덴이나 터키 선박제조회사가 만든 사양서를 이들이 동의하면 송부하겠다고 하였음.

3.당관 생각에는 이일을 추진하는데 이단계에서 다음 두가지 접근책이 있을듯함.

가.무쌀람코한테 DETAILED SPECS 를 받아서 견적을 내는것. 그러나 스웨덴등이사양서 제공에 동의하기 쉽지 않을듯함

나.우리가 GENERAL ARRANGEMENT 를 보고 그요구를 충족해주는 선박설계나 DETAILED PLAN 을 만들어견적과 함께 PROPOSAL 을 내는것

4.위두가지중 (나)의 방법으로 해야 될 것같음.끝

(대사-국장)

중아국

FAX : 일주상사 김무량 사장 (424-4079)

PAGE 1

91.12.11   20:55 DU

외신 1과 통제관

0177

걸프사태 : 전후복구사업 참여, 1991-92. 전6권 (V.5 1991.4-12월)   183

외 무 부

종 별 :

번 호 : KUW-0789

일 시 : 91 1212 1400

수 신 : 장 관(중동일)

발 신 : 주 쿠웨이트 대사

제 목 : PATROL BOAT

대:중동일 720-45223

연:KUW-732

1. 당관은 대호로 송부된 표제 DETAILED SPECS 를가지고 직접 내무부 해안경비대와 접촉코자 하는데, 기송부된 표제 내부사진은 SALES PROMOTION에는 적합치 않음으로겁 모습등의 사진을 새로제작, 송부바람.

2. 동사진은 SALES PROMOTION 이라는 것을 특히 유의하기바람. 끝

(대사-국장)

중아국

TAX

PAGE 1

91.12.12   23:18 FN

외신 1과 통제관

0178

외 무 부

종 별 :

번 호 : KUW-0795 　　　　　　　일 시 : 91 1214 1500

수 신 : 장 관(중동일,통삼)

발 신 : 주 쿠웨이트 대사

제 목 : 쿠웨이트 전대차관 도입

연:KUW-597

1.쿠웨이트는 연호 전대차관이외 92.1 네델란드로부터 10억불,영국을 포함한 OECD
회원국으로부터10억불,일본으로 부터 10억불의 차관을 추가로도입할예정임.

2.이로써 쿠웨이트정부가 지금까지 확보한전대차관은 90억불에 이르게 되었음.끝
(대사-국장)

중아국　　통상국

PAGE 1 　　　　　　　　　　　　　　　　　　　91.12.15　　01:07 FO
　　　　　　　　　　　　　　　　　　　　　외신 1과 통제관
　　　　　　　　　　　　　　　　　　　　　　0179

외 무 부

종 별 :

번 호 : KUW-0796

일 시 : 91 1214 1500

수 신 : 장 관(중동일,통삼)

발 신 : 주 쿠웨이트 대사

제 목 : 쿠웨이트 공공차관 도입서명

연:KUW-757

1.쿠웨이트 정부는 12.12 연호 55억불의차관도입을 위한 계약에 서명하였는데,이에는20국 81개 은행이 참석하였음.

2.GABANDI 쿠웨이트 부자청장은 쿠웨이트 정부가복구공사 소요경비 마련을 위해해외자산을처분하는대신 공공차관도입을 선택한 이유로서1)금리가 저렴하고,2)해외자산을 처분하는데에는2-3년의 기간이 소요되기 때문이라고 언급하였음.

3.쿠웨이트는 해외보유자산(900억불 이상)중200억불은 이미 처분한것으로 알려지고있는데,동부자청장은 복구공사 소요경비(약300억불)를 마련하기 위하여 더 이상의차관도입은 없을것이라고 언급하였음.끝

(대사-국장)

중아국   통상국

91.12.15   01:07 FO

외신 1과 통제관

0180

발 신 전 보

분류번호	보존기간

번 호 : WKU-0516   911217 1018 DQ   종별 : _____

수 신 : 주 쿠웨이트 대사. 총영사/

발 신 : 장 관 (중동일)

제 목 : 페리보트

대 : KUW - 0789

대호 관련 일주측은 아래 입장을 개진하여 왔으니 조치 바람.

1. 페리보트

ㅇ 무쌀람코측이 스웨덴이나 터키 조선사의 동의를 얻어야 SPECS를 보낼 수 있다고 한것은 이해하나, 선주가 선박을 건조하려고 할때는 통상 선주 자신이 SPECS를 작성, 제시하여 조선회사에게 견적을 내도록함.

ㅇ 한진 이외의 2개 중형조선소에도 문의하였으나 같은 입장인 바, 특히 페리는 내장이 중요하므로 SPECS 없이는 견적 작업이 불가 하다하며, 선주의 배경 및 FINANCING SOURCE 등에 대한 정보도 요구하고 있음.

ㅇ 따라서, 동건 추진을 위하여는 무쌀람코측에 독촉하여 SPECS를 조속 입수하는 것이 긴요함.

2. 패트롤 보트

ㅇ 대사관 요청대로 겉모습등의 사진이 제작되는대로 송부 예정임.   끝.

(중동아프리카국장 이 해 순)

앙고재	91년 12월 16일	증동1과	기안자 성명	과 장 신의라	국 장	차 관	장 관

보 안 통 제

외신과통제

0181

ILJU INTERNATIONAL, INC.
YOUNGDONG P.O. BOX NO. 800
SEOUL, KOREA

TEL: (02) 424-4077/8
TLX: K 28810 ILJUINC
FAX: (02) 424-4079

REF. NO. IJF-18/12/91

DATE: DEC 16, 91

외　무　부
중동 · 아프리카국 중동 1과
임　현　재　서기관님
(FAX NO. : 720-2686)

1. CAR FERRY

어저번 말씀 드린대로 DETAILED SPECS이 없이는 견적이 불가능 하다고 합니다.
스웨덴이나 머미 조선회사의 동의를 얻어야 그들이 제출한 SPECS을 보낼 수 있다고
한 것은 이해가 되나 선주가 선박을 건조 하려고 할때는 통상 선주 자신이 DETAILED
SPECS을 작성 , 제시하여 조선회사로 하여금 견적을 제출 하도록 한다고 합니다.
한진 이외에 2개 중형 조선소를 CONTACT 하였으나 대답은 마찬가지 입니다. 특별히
CAR FERRY는 내장이 중요하기 때문에 이것이 없이는 견적작업이 불가능 한것은
물론 흥미가 있다 없다도 말하기가 힘들다고 합니다. 거기에 추가해서, 선주의 배경 및
FINANCING SOURCE등에 대한 정보도 요구하고 있습니다. 따라서 MUSALLAMCO에
족하여 DETAILED SPECS을 빠른 시일내에 입수하는 방법 밖에는 동건을 말히 추진
할 수 있는 길이 없을 것 같습니다.

2. PATROL BOAT

주 쿠웨이트 대사관에서 요청하신대로 길 모습등의 사진을 새로 제작하여 외무부로
보내 드리도록 하겠습니다.

（ 주 ）　일　　주　　상　　사

대표이사　김　　무　　창

0182

END

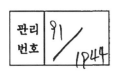

외　무　부

원　본

종　별 :

번　호 : KUW-0804　　　　　　　　　일　시 : 91 1217 1400

수　신 : 장 관(중동일)

발　신 : 주 쿠웨이트 대사

제　목 : 경비정

　　대:WKU-0437

　　연:KUW-789

　　연호와같이 경비정을 당관이 직접 내무부 해안 경비대측과 접촉, 판매가능여부를

타진코자 하는데, 대호 납품되지못한 사정전말을 당관참고로 알려주기바람. 끝

　　(대사-국장)

　　예고:92.6.30. 까지

중아국

PAGE 1　　　　　　　　　　　　　　　　　　　　　91.12.18　　01:50

대쿠웨이트 유조선 수주현황

91. 12. 23.
중동 1과

1. 12.20.자 AFP에 따르면, 한국이 쿠웨이트로 부터 수주한 4척의 유조선중 1척을 지난 금요일(12.20)에 인도하였다고 보도

   o 12월초 현재 쿠웨이트 산유량은 37만 배럴이며, 쿠웨이트 당국은 내년 7월까지는 80만배럴, 내년말까지는 OPEC 쿼타인 150만 배럴로 증산예정

2. 대쿠웨이트 유조선 수주현황은 금번 인도된 1척을포함 4척임.

   o 현대 2척중 금번 인도된 28만톤급 1척은 작년3월 8천만불에 계약되었으며 다른 1척은 같은 28만톤급으로서 작년7월 7천만불에 계약되어 내년 9월 인도예정

   o 대우 2척은 같은 28만톤급으로서 작년 3월 9천만불에 계약되어 내년 7-9월경 인도예정

3. 현대는 전쟁전에 쿠웨이트에 4건의 건설공사를 시공중에 있었으나, 현재 모두 중단상태임.

   o 2건은 7천만불 상당의 도로공사로서 공사재개 조건 교섭중

   o 나머지 2건은 8천5백만불 상당의 저수조 공사 및 8천만불 상당의 전력공급선 공사임.

0184

主 要 國 際 情 勢 速 報

91.12.21 (土) 06:30
狀況班長: 정책총괄과장 천영우

1. 韓國關係

外 信 名	內 容	페이지
聯合, AFP (서울發)	韓.中 貿易協定 假署名 - 중국측 對韓 差別關税 폐지	1
聯合, AFP (서울發)	[솔라즈]美 下院 亞.太小委員長, 訪北 결과 설명차 訪韓 - 북한측은 核關聯 종래 주장 되풀이하며 　美.北韓 직접협상 요구	2
聯合 (워싱턴發)	美 WP紙 칼럼리스트, 北韓의 核開發 강행시 南韓의 독자 核開發 가능성 주장	5
聯合 (서울發)	[박보희]세계일보사장, 對北韓 30억달러 投資説 및 [金日成]主席의 [부쉬]大統領앞 親書 전달등 부인	6
AFP (서울發)	前 北韓 副總理 [박헌영]의 딸 訪韓	6
AFP (쿠웨이트 시티發)	쿠웨이트, 21만톤급 油槽船 韓國으로부터 引受	7
聯合 (東京發)	日.北韓 漁業 잠정 합의 2년간 연장	7

0185

```
GLGL
oo529 AS1/AFP-AI76-----
r i Kuwait-SKorea    12-20 0188
  Econews
  Kuwait receives South Korean oil tanker

   KUWAIT CITY, Dec 20 (AFP) - Kuwait, which is struggling to reassert itself
on the international oil market, Friday received a 210,000-tonne tanker
ordered from South Korea before the Gulf war, the official KUNA news agency
reported.
   Al-Awda (the return) is part of four tankers purchased from the South
Korean Huyandai firm before Iraq's August 1990 invasion and seven-month
occupation of the emirate.
   KUNA said the three other vessels would be delivered next year.
   Kuwait's oil infrastructure was largely destroyed during the Gulf crisis
but the emirate has been gradually making its comeback on the international
oil scene.
   Oil production estimates for early December in Kuwait stood at 370,000
barrels of crude per day (b/d) with an additional 140,000 b/d produced in the
neutral zone with Saudi Arabia.
   The authorities in Kuwait hope to increase oil production in July to
800,000 b/d by July and to recover the 1.5 million b/d quota set by the
Organisation of Petroleum Exporting Countries (OPEC) by the end of next year.
   tm/hkb/gk
AFP 202000 GMT DEC 91
```

日.北韓 어업 잠정합의 2년간 연장

   (東京=聯合)文永植특파원=日本의 日朝友好議員連盟과 北韓의   朝日友好親善協會

관계자들은 20일 도쿄에서 모임을 갖고 금년말로 기한이 끝나는 「北韓 2백海里 수

역에대한 양국간 어업 잠정합의서」를 앞으로 2년간 연장하기로 합의했다.

   양측은 내년 1년동안 2백해리 수역에서 일본어선의 활당어획량을 금년보다 30%

늘리고 일본은 북한에 入漁料로 중전과 같이 82만달러(1억 6백 60만엔)를 지불하기로

했다.

   양측은 또 작년이후 日.北韓간 국교정상화 회담이 진행되고 있는 점을 감안,이

번 합의서에 「양국 정부간에 어업협정이 맺어질 경우 저절로 소멸한다」는 새로운

조건을 추가 했다.(끝)

   (YONHAP) 911220 2141 KST   0186

분류번호	보존기간

발 신 전 보

WKU-0529   911223 1735   FL

번   호 : _____   종별 : _____

수   신 : 주   쿠웨이트   대사.총영사////

발   신 : 장 관   (중동일)

제   목 : 패트롤 보트

대 : KUW-0804

대호 패트롤 보트는 원래 계약조건에 최대속도 38노트로 되어있었으며, 현지에서
시험운행결과 MWM 엔진장착 2척은 36노트, MTU 엔진장착 1척은 34노트가 나와
당시 선주인 쿠웨이트 내무성 해안경비대가 인수를 거절하였는바, 당시 선주측은
선가를 30% 감액해주면 인수하겠다고 하였으나, 한진측이 쿠측의 요구를 무리한
것으로 거절하여 상담이 결렬된것임. 끝.

(중동아국장   이 해 순)

예고문 : 92.6.30.일반

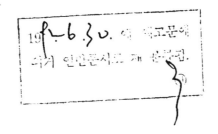

앙 고 재	91 년 12 월 23 일	즐 1 과	기안자 성 명		과 장		국 장		차 관	장 관

보 안
통 제

외신과통제

외 무 부

종   별 :

번   호 : KUW-0828

일   시 : 91 1224 1300

수   신 : 장관(중동일)

발   신 : 주 쿠웨이트 대사

제   목 : PATROL BOAT

대:WKU-529

연:KUW-804

대호 아래사항 통보하여 주시기바람.

1. 당초 계약된 선가

2. 쿠웨이트측이 대호 이유로 30 프로 감액제의한데 대하여 한진측이 요구했던 가격(선박 3 척의 값이 동일했는지, 아니면 각선박별로 설명 주시기바람). 끝

(대사-국장)

예고:92.6.30. 까지

인주 424-4077/8

중아국   차관   2차보

PAGE 1

91.12.24   21:18

외신 2과 통제관 CF

0188

발 신 전 보

분류번호	보존기간

번   호 : WKU-0533   911226 1751   ED 종별 : 암호송신

수   신 : 주   쿠웨이트   대사. 총영사

발   신 : 장   관   (중동일)

제   목 : 대쿠웨이트 선박수출

12.20. AFP 통신은 현대조선이 21만톤급 유조선 1척을 쿠웨이트에 인도하였다고
보도한바, 본부에서 파악한바로는 동 유조선은 걸프이전 현대에서 수주한 28만톤급
유조선 2척중 1척으로 계약금액은 8천만불이며 다른 1척은 내년 9월 인도예정
이라함. 또한 대우도 28만톤급 유조선 2척(척당 9천만불)을 수주, 내년 7-9월경
인도예정이라하니 참고바람.   끝.

(중동아국장   이해순)

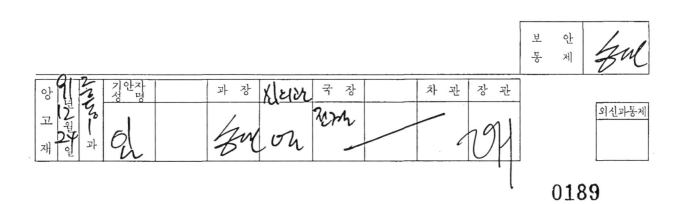

앙고재 91년 12월 24일	기안자 성명	과장	국장	차관	장관	보안통제
						외신과통제

0189

관리
번호 91/1877

발 신 전 보

WKU-0537   911227 1713 ED

번   호 :   종별 :

수   신 : 주   쿠웨이트   대사. 봉영사

발   신 : 장 관   (중동일)

제   목 : PATROL BOAT

대 : KUW - 0828

대호 표제 관련, 당초 계약 선가(척당)는 MWM엔진 58만 1,700불, MTU엔진 68만 1,330불로서 당시 쿠웨이트측이 일률적으로 30% 감액을 요청한데 대해 한진측은 MWM엔진 10%, MTU엔진 30%감액을 제의하여 상담이 결렬되었음. 금번에 한진측은 일률적으로 척당 50만불을 제의하고 있는바, 동종의 보트를 신규로 건조할 경우는 현시가로 120만불 이상이 소요된다함을 참고로 첨언함.   끝.

(중동아프리카국장   이 해 순)

예 고 : 1992. 6. 30. 까지

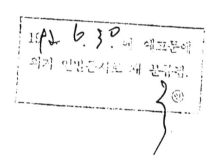

앙 고 재	91 년 월 일 1과	기안자 성명	과 장	국 장	차 관	장 관

보 안
통 제

외신과통제

외 무 부

110-760 서울 종로구 세종로 77번지 / (02)720-2327 / (02)720-3969

문서번호 중동일 720-
시행일자 1991.12.30.(01250

취급			차 관	장 관
보존				
국 장	전 결			
심의관				
과 장				
담당	임현재			협조

수신 주쿠웨이트 대사
참조

제목 Patrol Boat

대 : KUW-0789

대호로 요청하신 표제사진을 별첨 송부합니다.

첨 부 : 상기 사진 3매. 끝.

외 무 부 장 관

0191

외 무 부

종 별 :

번 호 : KUW-0853

일 시 : 91 1231 1400

수 신 : 장 관(중동일,봉삼)

발 신 : 주 쿠웨이트 대사

제 목 : 관세면제 기간연장

1. 걸프전 이전 쿠웨이트 정부는 수입상품에 대하여 상품종류에따라 4-28프로의 관세를 부과 하였었으나,수복후부터 91.12월말까지 모든 수입상품에 대한 관세를 면제키로 하여 시행해왔음.

2. 쿠웨이트 정부는 상기관세 면제기간을 92.3월말까지 연장한다고 12.29 발표하였음. 따라서 92.3월말까지 우리상품의 대쿠웨이트 수출이 증대되도록 관계기관을 통해서 상기사실을 국내업체들에게 홍보하여 주시기바람.끝

(대사소병용-국장)

중아국 　 2차보 　 통상국 　 청와대 　 안기부

91.12.31　 22:20 FN

외신 1과 통제관

0192

정 리 보 존 문 서 목 록

기록물종류	일반공문서철	등록번호	2020090003	등록일자	2020-09-01
분류번호	760.1	국가코드	XF	보존기간	영구
명 칭	걸프사태 : 전후복구사업 참여, 1991-92. 전6권				
생 산 과	중동1과/경제협력2과	생산년도	1991~1992	담당그룹	
권 차 명	V.6 1992				
내용목차					

0001

외 무 부

종 별 :

번 호 : KUW-0005

일 시 : 92 0104 1300

수 신 : 장관(중동일)

발 신 : 주쿠웨이트대사

제 목 : PATROL BOAT

연: KUW-789

연호 요청한 겁모습등의 사진을 속히 보내 주시기바람.끝

(대사 소병용-국장)

중아국

PAGE 1

92.01.05   00:09 DW

외신 1과 통제관

0002

주 쿠 웨 이 트 대 사 관

문서번호 : 주쿠웨이트(건) 20671 - 11
시행일자 : 1992 . 1 . 5

수 신 : 장관 (사본:건설부장관)
참 조 : 중동아프리카국장
제 목 : 수원확보시책

				지시	사본 →건설부
선결					
접수	일자 시간			결재 ·공람	
	번호	00312			
	처리과 담당자				

1. 쿠웨이트 수전력부차관은 수원 확보방안에 관하여 국내 일간지와의 대담에서 쿠웨이트의 주요수원은 해수제염 방법에 의존한다고 밝혔음. 이것은 새로운 시책이 아니고 1950년대말 걸프지역에서 최초로 해수의 제염기술을 도입한 이래 쿠웨이트가 계속 이용해 오던 각급 용수원 확보 방법인데, 새로이 이러한 발표를 한것은 최근 이란의 에너지 장관고문 일행이 쿠웨이트를 방문하여 이란의 원수를 파이프라인에의하여 공급하는 문제를 협의한점으로 미루어 이나라에서는 기왕의 해수제염에 의한 용수확보시책을 고수하겠다는 의사표시인 것으로 풀이됩니다.

2. 참고로 미에야스 차관이 기자회담에서 밝힌바에 의하면 걸프전 발발이전 기준으로 총 제염시설용량은 1일 245백만 영국 gal 인데 소비량은 43.4백만 gal ('88통계)이고, 생산원가는 1000 gal 당 2.11 쿠웨이트 디나인데 수용가부담은 0.8 디나라 합니다. 또 총 발전시설 용량은 743만 KW 인데 Kwh 당 생산비는 18 - 23 fil 인데 수용가부담은 10 % 정도인 2 fil 였다고 제시하였습니다. 끝.

주 쿠 웨 이 트 대

0003

주 쿠 웨 이 트 대 사 관

문서번호 : 주쿠웨이트(총)20100 - 1?
시행일자 : 1992. 1. 5.

수   신 : 대한무역진흥공사사장
참   조 : 외무부장관(참조:중동아프리카국장
제   목 : 무역관운영

1. 당관에 대한무역공사(KOTRA) 직원(양치룡)이 1991. 10. 9 도착, 업무를 하고 있습니다.

2. 과거 코트라가 별도 사무실을 가지고 운영하였을때 당관이 관찰한 바로는 당지 업무 수요로 볼때 1인으로 충분하지만 한사람이 독립사무소를 운영하는데 따른 어려움이 있었으며, 또한 대사관이 별도로 통상업무를 하고 있어서 통상진흥의 효율성 문제와 주재국 이용자 입장에서도 불편한 점이 있었습니다. 이런 제반사정을 참작하고 통상진흥업무의 효율성을 제고하고 예산도 절약하는등 종합적으로 고려하여, 코트라사무소를 대사관에 이전할 것을 건의했고, 그렇게하여 총체적인 통상진흥 계획에 따라 무역진흥업무를 수행하고 있는바, 2개월간 경험 결과 당초 예상대로 좋은 성과를 거두고 있습니다.

3. 금번 코트라 사무실의 대사관내 이전과 관련, 행정, 예산측면에서도 다음과 같은 조치가 필요할 것으로 생각되오니 92년 1월부터 시행할 수 있도록 검토해 주시기 바랍니다.

- 종전 코트라사무실이 지불하던 월 임차료 KD 600와 그외에 유지관리비등을 감안하여, 합리적인 선에서 대사관 건물시설경비를 코트라측도 분담하는 것이 좋을 것임. 코트라도 정부 예산지원으로 운영하는 기관이므로 넓은 의미의 정부 예산이지만 별도의 예산이 있으므로, 총체적으로 10 % 정도는 코트라가 부담하는 것이 합리적일 것으로 생각됨. 끝

0004

임차료 KD 200(약 $ 700) 및 전기, 수도, 냉난방, 청소용역등 유지관리비용 KD 100(약 $ 350)을 부담할 수 있도록 해주시기 바람. 당관은 동 경비를 받으면 영사수입금 계정에 넣어 국고에 액입할 것임. 다만, 통신요금은 실비부담하고 행정소모품은 따로 구입해서 쓰겠음.

4. 당지 무역관은 따로 사무소를 갖고 있던 1990. 8 이전에도 대외적으로는 주쿠웨이트 대사관의 상무과 (The Commercial Section of the Embassy of the Republic of Korea) 였었는데 그때도 무역관직원을 당대사관에 파견하는 인사발령이 없었지만 현지 필요에 따라 그런 편법을 썼었습니다. 지금은 당대사관 에서 근무하며 대외적신분은 당대사관의 무역관(Trade Promotion Officer)인데, 역시 당관에 파견발령이없는상태입니다. 형식을 갖추어 제도화하기 위하여 귀사에서 양자택일 무역관장을 당관에 파견하는 인사발령을 내주실 것을 저의합니다. 이 파견 인사는 외무부에 파견하는 것이 아니고 주쿠웨이트 대사관에 파견하는것이므로, 그렇게 하더라도 그가 KOTRA 본사에 보고하고 지시받아 일하는 KOTRA 내부의 지시. 복명 관계에는 변함이 없습니다.

5. 또한 우리 경험으로 보아 쿠웨이트와 비슷한 사정인 1인 또는 소규모 무역관의 경우 대사관안에 사무소를 두고 운영하는 것이 무역진흥 노력의 생산성을 높이고 예산도 절감하는등 측면에서 좋을 것으로 생각되오니 이런 방안을 다른 해당 지역에도 시행하는 것을 검토해 보실 것을 제안합니다. 끝.

주 쿠 웨 이 트

0005

海外건설 활기띤다

업계 앞다퉈 대규모 사업 따내

中東·東南亞진출 호조

올 예상 受注額 10억弗 능여

해외건설이 되살아나고 있는 해도 92년도의 해외건설수주액이 30억달러수준에 그칠 것으로 예상했었으나 최상 높아날 것으로 국내업체들이 中東·東南亞등지에 작되고 ▲東南亞지역에서는 개편剝을 맞해 해외사업부문 경제성장에 따른 활발한 사업을 감화한다는

건설부와 해외건설협회에 따르면 정부와 업계는 지난해 하반기까지만상황조정했다.

이와함께 ▲베트남·東歐圈등지의 新시장開설등으로 세계건설시장규모 자체가

이같은 규모는 지난해 中東지역에서 油井진화작업이 마무리단계에 접어들며 본격적인 전후복구사업이 시

당 4입 건설부와 해외건설 주액이 30억달러에 비해 30%이

특히 ▲쿠웨이트등 中·유럽등 선진국의 시장

올해는 수주가 예상되는

발 신 전 보

	분류번호	보존기간

번   호 : WKU-0012   920108 1110 FO   종별 : _____

수   신 : 주 쿠웨이트   대사. ~~총영사~~

발   신 : 장   관   (중동일)

제   목 : PATROL BOAT

　

대 : KUW 0005

연 : 중동일 720-01250 (91.12.31)

　

대호 걸모습사진은 연호 정파편으로 기송부 되었으니 양지바람.   끝.

　

(중동아프리카국장   이 해 순)

걸프사태 : 전후복구사업 참여, 1991-92. 전6권 (V.6 1992) 205

외 무 부

종 별 :

번 호 : KUW-0028

일 시 : 92 0109 1400

수 신 : 장 관(중동일,봉삼)

발 신 : 주 쿠웨이트대사

제 목 : 영국의 대쿠웨이트 수출신용 공여

연: KUW-796

1. 영국의 BRITISH EXPORT GURANTEE ESTABLISHMENT 는 쿠웨이트에 5억파운드의수출신용을 공여하기 위한 계약을 1.8 쿠웨이트 정부와 체결하였음.(1.9자쿠웨이트신문보도)

2. 동 수출 신용은 쿠웨이트가 영국의 상품 및 용역수입을 하는데 사용될 것이라고하는데, 이로써 영국의 대쿠웨이트 상품 및 용역수출이 증가될것이라고 쿠웨이트 정부당국자가 언급하였음.

3. 영국은 91.10도 쿠웨이트에 대해 9억불의 전대차관을 공여한바 있는데, 쿠웨이트는 현재까지 미국, 영국등으로 부터 수출신용 35억 불, 화란, 카나다로부터 전대차관 10억 불을 계약한바 있고, 앞으로 일본 10억불(30억엔수출보험 재개는 별도),화란10억불,기타 OECD제국과 10억불의 전대차관 도입계약을 추진중임.

4. 기왕에 당관에서 건의한 대로 쿠웨이트는 현금부족으로 수입이나 건설등 9억불의 전대차관을 공여한바 있는데, 쿠웨이트는 현재까지 미국, 영국등으로 부터 수출신용 35억불,화란, 카나다로부터 전대차관 10억불을 계약한바 있고, 앞으로 일본 10억불(30억엔수출보험 재개는 별도), 화란 10억불, 기타 OECD제국과 10억불의 전대차관 도입계약을 추진중임.

4.기왕에 당관에서 건의한대로 쿠웨이트는 현금부족으로 수입이나 건설등에 차관등 신용(FINANCING)을 바라고있는 사실을 우리의 수출진흥 노력에 참고하도록 해주시기바람.끝

(대사소병용-국장)

중아국   2차보   통상국   정와대   안기부

92.01.10   19:25 WH

외신 1과 통제관

0008

외 무 부

종 별 :

번 호 : KUW-0032   일 시 : 92 0111 1400

수 신 : 장 관(중동일,봉이)

발 신 : 주 쿠웨이트 대사

제 목 : 아시아 자동차수출

   아시아자동차 공업회사가 군용트럭등 자동차를 수출하기 위하여쿠웨이트 국방부에 견적을 내놓고있는데, 이와관련하여 다음내용을 아시아자동차의 이신전 수출부이사(788-8652)와 진세무역의 전영준사장(556-4601)에게 전언해주시기바람.

   "1.11 에 SHAIKH ALI 국방장관을 찾아가 자세히 설명하고 도움을 청했음. 그는 미.영등 소위 중추연합국이나 쿠웨이트가 주식을 갖고있는 독일의 벤츠에서만 구입하는것이 방침이라고 말했음. 품질과 가격등 조건만 좋으면 어느우방국에서나 구입하는것이 방침이라고 말했음. 또한 지금자동차를 사야될지는 검토해보아야하고 그렇다면 한국차도 검토대상으로 할것이라고 말했음. 그는 한국에 대하여 좋은인상을 갖고있음을 강조했는데, 그가이런말을 한것은 이번이 처음이 아니고 전에만났을때도 강조했고 그가 1975 년에 현대와 합작으로 한국-쿠웨이트 금융회사를 설립한 쿠웨이트측 사람중 하나였음."끝

   (대사소병용-국장)   장수용대리 (92. 1. 15 동해발)

중아국   통상국

PAGE 1   92.01.12   00:28
                                              외신 2과 통제관 FI

외 무 부

종 별 :

번 호 : KUW-0038

일 시 : 92 0112 1430

수 신 : 장 관(중동일)

발 신 : 주 쿠웨이트대사

제 목 : 일본 봉산장관 중동방문(자료응신 제92-5호)

1. 와따나베 일본봉산성 장관이 1.11-15간 사우디, 쿠웨이트및 UAE 를 방문하는데, 원유공급, 봉상관계, 기술이전및GCC 지역의 경제기반 확충방안을 협의할것으로 알려짐.

2. 동장관의 금번 중동순방은 일본이 국제적으로보다 큰역할을 맡겠다는 결의의 표시로 해석되고있는데, 1.14-15간의 쿠웨이트방문시에는 국왕과 SHAIKH SAAD 수상겸 왕 세자를 예방하고, RQUBA석유장관및 JARALLA 상공장관과 원유공급및 봉상문제를 협의할 예정임.

3. 일본은 사우디및 쿠웨이트와 THE ARABIAN OILCO.를 형성, 쿠웨이트 중립지대 유전을 채굴하고있는데, 일본 80프로, 사우디및 쿠웨이트가 각기10프로로 되어있음. 또한, 일본은 91.8 쿠웨이트에대해 30억엔의 수출보험(봉산부 보증)을 재개했고, 10억불의전대차관공여를 추진중에있음.

4. 한편, 1.13-16간 미국의 소수민족중소기업단이 쿠웨이트 방문예정임. 끝

(대사 소병용-국장)

중아국

PAGE 1

92.01.13   06:06 FL

외신 1과 통제관

0010

외 무 부

종 별 :

번 호 : KUW-0057

일 시 : 92 0116 1400

수 신 : 장관(중동일,아일)

발 신 : 주 쿠웨이트 대사

제 목 : 일본통산성장관의 쿠웨이트 방문결과(자응 제92-8호)

연:KUW-38

1. 연호 와타나베 일본통산성장관은 1.14-15 쿠웨이트 방문기간중 국왕및 왕세자겸 수상을 예방한후 쿠웨이트정부를 대표한 RQUBA 석유장관과 양국관계를 논의했는데, 당지 일본대사관 스주키 참사관이 온참사관에게 언급한 방문결과를 아래보고함.

가. 쿠웨이트-일본간 무역증진 노력합의

-89 년도 일본의 대쿠웨이트 수출액은 7 억불임(미국은 10 억불)

나. 쿠웨이트측이 일본의 대쿠웨이트 원유수입을 전전수준(20 억불)으로 회복하여 줄것을 요청한데 대해, 와타나베 통상장관은 쿠웨이트원유값이 충분히 경쟁력을 갖게되면 원유수입증대는 쉽게 이루어질것이라고 한후, 일본정부가 일본 정유회사등에 대해 영향력은 갖고있지 않지만 쿠웨이트정부의 희망을 전달하겠다고 언급.

다. 쿠웨이트측이 일본 국내석유 유통시장참여를 허용하여 줄것을 요청한데 대해, 일본 정유회사가 상업적 베이스에서 결정할것이나 일본정부로서도 이를 장려하겠다고 언급.

라. 쿠웨이트측의 일본-쿠웨이트 제 3 국에 대한 합작투자 제의

-일본 실업계에 전달하겠다고 약속

마. 쿠웨이트측의 일.쿠 공동위원회 구성제의

-필요성을 연구검토 하겠다고 언급(일본은 사우디와의 공동위원회를 운영해본 결과, 쿠웨이트와의 공동위원회 구성필요성을 느끼지않고 있다고 스주키 참사관이 언급)

바. 이중과세 방지협정 조기체결 제의

-일본의 쿠웨이트 부자증진이 선행되어야 할문제라고 언급

2. 일본 통상장관은 다음과갑이 쿠웨이트측에 제의함.

중아국	장관	차관	1차보	2차보	아주국	분석관	정와대	안기부

가. 쿠웨이트에 대한 석유화학분야 기술제공 검토중(전문가 초청훈련)

나. ARAB OIL CO(일본, 사우디, 쿠웨이트 합작회사)의 카프지유전 생산능력 증대

다. 금년 가을 일본정부 주최예정인 DESERT FORESTATION 심포지움에 쿠웨이트 참석요청

3. RQUBA 장관이 현재 논의되고있는 ENERGY TAX(CO2 TAX)를 일본이 반대하여 줄것을 요청한데 대해 와타나베 장관은 이를 검토해 보겠다고 언급함.

4. 당지 일본대사관의 방문성과에 대한 평가

-쿠웨이트 수복후 일본각료의 최초 쿠웨이트 방문이며, 통상장관으로서는 7년만임.

-쿠웨이트 수복에 일본의 기여를 강조, 쿠웨이트가 이를 크게 평가했고, 일본회사의 쿠웨이트 복구사업 참여폭을 증대시키는데 기여

-재들쿠 기존관계를 재확인했고, 향후 정치.통상관계를 강화시킬수 있는 기회를 가졌음. 끝

(대사 소병용-국장)

외 무 부

종 별 : 지급

번 호 : KUW-0059

일 시 : 92 0119 1400

수 신 : 장관(중동일,봉이)

발 신 : 주 쿠웨이트 대사

제 목 : 군용차량수출

다음을 아시아자동차 이전신이사(788-8652)와 진세무역의 전영준사장(556-4601)에게 지급 전화해주시기 바람.

"1.19 에 쿠웨이트의 AL-SANE 그룹사장(회장아들)이 본인을 찾아와서 국방장관이 한국대사를 찾아가 의논해보라고 해서 왔다고 말하면서, 자기회사가 KM 520-5 TON 을 주로하되 기타트럭을 200 대 공급토록 노력할 의향이 있다고했음. 그는 전쟁전에 쿠웨이트군이 수송차량을 975 대 갖고있었는데 다 없어졌으므로 1,000 대 정도는 필요하나 예산사정으로 일시에 살수는 없고 우선 금년에 최소 200, 최대 300 대를 살 계획이라고 말했음. 그는 아시아자동차를 접촉하기전에 본인이 자기회사의 이런희망을 아시아측에 전해주고 "추천"해 달라고말했음. 그가 본인이 국방장관에게 준 아시아자동차 소개자료를 국방장관이 주었다면서 갖고 왔으며, 국방장관이 "한국대사가 군용차량을 영. 미등 주요 서방참전국에서만 사기로한것 아니냐고 하는데 그것은 사실이 아니고, 한국이 중요한 우방국이므로 한국에서 구입하는데 전혀 문제없다면서 " 알아보라고 했다고 말하는것으로보아 국방장관에게(SANE 는 직접 국방장관이 자기에게 말했다고 하는데, 직접여부는 모르겠으나)아시아에 관해 이야기를 듣고 권유받은것으로 생각됨.

이회사는 쿠웨이트에서 제일 고급인 REGENCY HOTEL 을 갖고 있고 런던에 MILESTONE HOTEL 을 갖고있으며 기타 부동산, 기계류수입, 여행사, 건물관리등 다양한 영업을 하는 큰회사이며, 국방부와는 군인전체에 대한 급식, 컴퓨터(APPLE) 공급등을 위시하여 물품및 용역을 제공하고 있는데, 자기들 말로는 회사총수입의 절반정도가 국방부에서 온다고함.

제반 정황으로 보아 국방부또는 국방장관과의 줄이 좋은것같고 RASHEED 보다는 일을 더 잘해낼수 있는 입장으로 생각됨으로 RASHEED 와의 문제를 잘챙길수있다면 이

중아국 　 통상국

PAGE 1

SANE 그룹을 이용해 보는것이 좋을것같음.SANE 그룹측에게 프로포살을 회사에
보내게해도 좋을지 지금 알려주시기바람. 그렇게 하는경우, 아시아와 전세 어느쪽에
편지를 보내게 해야할지도 알려주시기 바라며, 자동차라는 말은 쓰지말고
"물건"이라고 하고 이곳 국방부는 "쿠웨이트 장비회사"라는 말을 써서 전화로
의논해도 좋고 아니면 상거래 비밀문제가 있으면 외무부통상 2 과장 경유로 연락바람.
　　　　쿠웨이트 소병용대사". 끝
　　　　(대사소병용-국장)

PAGE 2

0014

<table>
<tr><td>관리
번호</td><td>92/52</td></tr>
</table>

외 무 부

종 별 : 지 급

번 호 : KUW-0064

일 시 : 92 0120 1440

수 신 : 장관(중동일)

발 신 : 주 쿠웨이트 대사

제 목 : PATROL BOAT

대:WKU-529,537

1. 온참사관이 1.20 쿠웨이트 해안경비대장 GHAZI OMAR 대령을 방문하여 대호내용을 설명하고 해안경비대측의 구매의사를 타진하였는데, 동대령은 구매할 의사가 없다면서 아래와같이 언급하였음.

1)그당시 쿠웨이트 해안경비정의 경비정등 발주는 반드시 KUWAIT SHIP YARD를 통해서 해야하게 되어 있었으므로(지금은 직접발주) KUWAIT SHIPYARD 가 삼성과 구매계약을 체결하였음.

2)시험운전 결과 36 노트(MWM)및 34 노트(MTU) 를 낼수 있었다고 하나 시운전에 참여한 KS 직원들의 무지를 이용하여 한국회사측이 계약에 따른 규격보다 큰 프로펠라를 장착했기때문이며, 규격에 따른 프로펠라를 장착했더라면 30 노트이하의 속도가 나왔을것임. 게다가 그만한 속도를 내는데에도 엔진이 OVER LOAD되어 1-2 시간 운행하면 폭발될 위험이있었음.

3)해안경비대가 이러한 사정을 미리알고 KS 에 대해 동경비정을 인수하지 않도록 수차 요청했음. 30 프로 감액을 제의하였다는것은 모르는 사실임. 30 프로 감액 제의를 한국회사가 수락했더라도 그경비정 인수를 거부했을 것임.

4)현재는 그와같은 중형경비정이 필요치 않음. 70 노트 이상속도의 소형경비정을 필요한대로 영. 독. 이태리의 3 국에서 확보했음.

5)금년도에는 28-35M 길이의 전부함정 2 척을 발주할계획으로 2 월중에 입찰공고를 낼예정인데, 관심있는 한국회사들의 참여를 바람.

6)93 년에는 상륙정(LANDING CRAFT)2 척을 구입할 예정임.

2. 위의 쿠웨이트측 반응으로 보아 이들 경비정을 쿠웨이트에 판매할수 있는 가능성이 전혀 없다고 판단되므로 이일은 이것으로 종결하고자함.

중아국   차관   2차보

92.01.21   17:15
외신 2과 통제관 CH
0015

3. 상기내용을 한진측에 전달바람. 끝

(대자조명용-국장)

예고:92.6.30. 까지

주 쿠 웨 이 브 대 사 관

문서번호 : 주쿠웨이브(경)720-56
시행일자 : 1992 . 2 . 3

수　신 : 장　관
참　조 : 통상국장　　 사　본 : KOTRA 사장
제　목 : 93년도 국제박람회 개최

서결			지시	
접수	일자시간	.	결재·공람	
	번호 07077			
처리과				
담당자				

　　　1. 쿠웨이트 국제박람회 사무국(KUWAIT EXHIBITION CENTER　　　　)는 별첨 서한으로 1993년도에 개최될 국제박람회는 " KUWAIT INTERNATIONAL OIL SHOW " 및 " KUWAIT INTERNATIONAL MEDICAL SHOW 　" 와 병행할 예정이라고 알려왔습니다.

　　　2. 이라크 점령기간중 쿠웨이트의 병원등 의료시설이 가장 심한 피해를 받았기 때문에 다량의 각종 의료기구를 구입해야할 실정임으로 의료장비 전시회에 참가하는 것이 좋을 것으로 사료되오니, 이를 긍정적으로 검토하시기 바랍니다.

첨　부 : 동 서한(영문)

주 쿠 웨 이 브 대

0017

معـــرض الكـــويت الـــدولي
The Kuwait International Trade Fair

شركة معرض الكويت الدولي ش.م.ك
Kuwait International Fair Co.

January 14, 1992

26 February - 3 March 1992
Kuwait Exhibition Centre

		낭관	참사관	내 사

The Commercial Attache
Embassy of Korea
PO Box 4272
13043 Safat
Kuwait

PRESS RELEASE

Date set for second Kuwait International Trade Fair

Three international trade exhibitions are to take place in Kuwait in February, 1993.

The second Kuwait International Trade Fair will run from the 10-15 February, 1993 and will be staged at the same time as the 'Kuwait International Oil Show' and the 'Kuwait International Medical Show'.

Mr. Mohammad Al Gharabally, Chairman and Managing Director of the Kuwait International Fair Company said:
"The 1993 Kuwait International Trade will once again bring together international, regional and local companies interested in contributing to the ongoing rebuilding of Kuwait. The staging of an oil show and a medical exhibition at the same time as the International Trade Fair allows companies involved in these specialised sectors the opportunity to exhibit at industry related shows."

The three exhibitions are being organised in cooperation with Bahrain based Hilal Gulf Exhibitions. Mr Gharabally added:
"Our ongoing co-operation with Hilal Gulf Exhibitions continues a highly successful association which has achieved excellent results with the 1992 Kuwait International Trade Fair, attracting more than 700 organisations and 23 national groups."

The three exhibitions are supported by the Kuwait Government.

Information for editors
The first Kuwait International Trade Fair takes place at the Kuwait International Fairground from 26 February - 3 March 1992.

For further information contact:-
Bill Oakdon, Hilal Gulf Exhibitions
PO Box 224 Manama, Bahrain
Tel: 293221 Fax: 293400

ص. ب : ٢٢٤ ـ تليفون : ٢٩٣١٣١ ـ تلكس: ٨٩٨١ هـلال بي. إن ـ فاكس : ٢٩٣٤٠٠ ـ المنامة ـ البحرين
Hilal Gulf Exhibitions, PO Box 224, Manama, Bahrain. Tel: 293131, Tlx: 8981 HILAL BN, Fax: 293400

0018

주 쿠 웨 이 브 대 사 관

문서번호 : 주쿠웨이트(경) 720-59
시행일자 : 1992 . 2 . 16

수 신 : 장 관
참 조 : 중동아프리카국장, 통상국장
제 목 : 92년도 쿠웨이트 경제전망

	서	.		지	솔
접 수	일자 시간			시 결재 공 람	아
	번호	10492 경			
	처리과				
	담당자				

92년도 쿠웨이트 경제전망을 별첨으로 송부하니 참고하시기 바랍니다.

첨 부 : 92년도 쿠웨이트 경제전망. 끝.

주 쿠 웨 이 트 대

0019

92년도 쿠웨이트 경제전망

1. 경제개황

- 사회간접시설피해는 예상보다 많지않았으나, 1080개 유정중 720개가 화재등으로 손상되었음.

  ° 통신시설, 발전소, 항만등 시설손상 : 70억~90억불

  ° 상가등 복구 및 재고손해 : 20억~30억불

  ° 유정화재진화, 생산 및 수출시설 복구 : 100억~150억불

- 정부의 전쟁피해복구는 3단계에 걸쳐 실시될 예정임

  ° 긴급복구단계 :

    • 수복직후 기본시설, 유정화재진화, 정부건물, 학교, 병원등 복구완료

  ° 2단계 복구계획

    • 1992년부터 2년간에 걸처 민간부문 활성화 및 전전공사재개에 중점을 두고 실시될 예정임

  ° 3단계 복구계획

    • 2단계 복구계획 종료후 5년기간으로 실시되며, 사회간접시설확대등에 주안점을 둘 것임.

- 경제활성화 및 지속적 성장을 이룩하기 위한 정부의 경기부양책이 예상되고 있음.

  ° 인구조절

  ° 민간부문의 복구공사 적극참여 자극

  ° 경제부문의 다양화

  ° 국영기업의 민영화

2. 부문별 동향

가. 석유부문

- 전전 외화소득, 공공지출 및 전반적 경제활동의 원천

- GDP 중 년평균 60%를 차지해 왔음.

- 유정화재진압, 파손된 유정수리 및 신규 유정채굴로 산유량 증가

- 1 -

○ 1991. 12 : 55만 bpd 생산

○ 1992. 12 : 150만 - 170만 bpd 생산예정

○ 1993년 하반기 : 생산능력을 200만 bpd 로 확장(전전 생산능력은
250만 bpd)

나. 일반생산부문

- 숙련 노동력 부족

○ 전전 일반생산부문에 고용되었던 외국인 숙련 노동자 출국 및 입국지
연으로 생산활동 저조

- 국내유통 업계와의 단절

○ 수복직후 국내유통업계는 필요물자 구매선을 사우디등 GCC 생산업체로
전환했음.

다. 물가동향

- 고율의 인플레

○ 수복직후 물자부족, 수입업자들의 높은 이윤 추구 경향, 정부의 각종 위
로금 지급에 따른 민간 가처분 소득증가로 인한 수요증대 때문에 한동안
물가상승률이 85%에 이르기도 하였음.

○ 정부의 단속, 수입물량 증대, 소비자들의 과대소비자제로 물가는 10 - 15%
상승으로 낮추어 졌음.

라. 무역동향

- 급격한 수입증대

○ 항만, 발전소, 공항 및 기타 시설복구 수요로 기계등 각종 자본재 수입이
크게 증대했음.

- 무역업자 증대

○ 전후 물자부족, 수입물자에 대한 관세유보(92. 3월말까지), 수입허가없
이도 누구나 수입할 수 있게한 정부의 조치로 수입업자들이 크게 증대

- 2 -

0021

물자의 포화상태를 유발했음.

- 인구가 230만에서 전후 120만으로 감소된 만큼 시장규모가 축소되어 경기침체가 예상됨.

마. 재정부문

- 적자재정

  ○ 석유수입과 해외투자 소득이 감소했고, 전비 및 복구사업 소요경비 지출 증대로 91/92 회계년도 190억불의 재정적자 시현

  ○ 동 재정적자 보전위해 정부는 91. 12. 55억불의 공공차관을 도입함.

  ○ 원유수입이 단기간내에 급격히 증대될 전망이 없음으로 재정적자는 향후 수년간 계속될 것으로 예상

  ○ 이에따라 환율의 하락이 예상되고 있음.

3. 전 망

- 수복직후 복구공사 및 재고보충 필요에 따라 경기가 활성화했었으나 재고보충이 끝났고 복구공사가 장기계획에 의거 시행될 것임으로 92년은 이러한 것들에 대한 조정이 이루어질 것임.

- 민간부문의 수요는 인구조정정책에 따라 크게 영향받을 것임.

- 전반적 경기는 정부지출에 크게 영향받을 것이고, 정부지출은 원유수입상황에 따라 제약받을 것임.

- 외국인 노동자들의 가족동반 여부도 경기에 큰 영향을 미칠것으로 보이는데, 가족동반을 제약하는 재정적 부담때문에 동반가족수가 증대되지않을 것으로 보임.
  끝.

- 3 -

외 무 부

110-760 서울 종로구 세종로 77번지   / (02)720-2351   / (02)720-2686

문서번호 중동일 20671-68

시행일자 1992. 3. 3. (   )
09321

취급		장 관	
보존			
국 장	전 결	긴	
심의관	02		
과 장	동세		
기안	주중철		협조

수신 : 주쿠웨이트 대사

참조

제목 : 아국 기술 용역업체 등록서 송부

　　　　　대 : 주쿠웨이트(건) 20671 - 211 (91.12.2)

　　　　　대호, 쿠웨이트 정부공사에 참여할 아국 기술 용역업체들의 등록서를 별첨
송부하오니, 적의 조치하여 주시기 바랍니다.

　　　　　　　　　　　- 아국 기술용역업체 현황 -

가. 대우 엔지니어링 (주)　　　　바. 한국 종합기술공사
나. 한국전력기술 (주)　　　　　사. 한국 해외기술공사
다. 도화 종합기술공사
라. 건화 엔지니어링 (주)
마. 한국 통신기술 (주)

첨부 : 각사 등록서 각 1부.

　　　　　　　　　외　　　무　　　부　　　장　　　관

　　　　　　　　　　　　　　　　　　　　0023

과 학 기 술 처

우 427-760 경기 과천 중앙 1, 정부 제2종합청사내 / (02)503-7659 / 전송

문서번호 기용16331-408

시행일자 1992. 3. . (   )

(경유)

수신 외무부장관

참조 중동아프리카국장

제목 쿠웨이트정부 콘설탄트 등록양식 제출

　　1. 관련 : 주쿠웨이트(건) 20671-211('91.12.2)

　　2. 표제건과 관련, 쿠웨이트정부공사에 참여할 아국 기술용역업체에 대한 등록
양식을 별첨과 같이 작성 제출하오니 해당국가에 필요한 조치를 취하여 주시기 바랍
니다.

아국 기술용역업체 현황

① 대우엔지니어링(주)　　　　⑤ 한국통신기술(주)

② 한국전력기술(주)　　　　　⑥ 한국종합기술공사

③ 도화종합기술공사　　　　　⑦ 한국해외기술공사

④ 건화엔지니어링(주)

첨부　각사 등록양식 각 1부. 끝.

과 학 기 술 처

기술개발국장 전결

0024

주 쿠 웨 이 트 대 사 관

문서번호 : 주쿠웨이트(계)20671-2/1

시행일자 : 1991.12.2

수　신 : 장관 (사본:과학기술처장관)

참　조 : 중동아프리카국장

제　목 : 기술용역업체 등록양식 송부

서류				지	
접수	일자시간			시	
	번호	**68842**		결재·공람	m
처리과					
담당자					

　　　쿠웨이트의 계획부에서는 기술용역업체등록을 접수한다는데 쿠웨이트에 진출을

희망하는 용역업체가 있으면 별첨 안내서를 참조하여 등록양식에 따라 작성, 제출하도록

하여 주시기 바랍니다.

　　　일반 기술 용역 업체는 Consulting Firm Registration Form　을 제출

하여야하고 건설공사관리 용역업체는 위　form　외에　Construction Management

Consulting Form　도 같이 제출하여야합니다.

첨　부 : 1. Consulting Firm Registration Form　1부

　　　　2. Construction Management Consulting Form.　1부

　　　　3. 안내서 1부. 끝.

주 쿠 웨 이 트 대 사

0025

외　무　부

종　　별 :

번　　호 : KUW-0160　　　　　　　　　　　일　　시 : 92 0307 1600

수　　신 : 장관(중동일,봉삼 사본:소병용대사)

발　　신 : 주쿠웨이트대사대리

제　　목 : 쿠웨이트 중화학공업 건설계획

　　1.쿠웨이트정부는 25억-30억불을 투자하여 중화학공업단지를 건설, 포리에치렌, HDPE, LDPE등 년간 60만-80만본의 석유관련 원부자재를 생산할 계획임.

　　2.동계획은 걸프전 이전 고등기획위원회및 각료회의의 승인을 받았으나 전쟁때문에 그시행이　　중단되었었는데,　　당초에도　　외국회사를　　참여시키지　　않을 계획이었으나전후계획을 변경하여 생산및 경영기술과 MARKETING CAPABILITY와 그 NETWORK 를 일정기간 경과후 쿠웨이트측에 이전한다는 조건으로 외국회사도 참여시키기로 하였다함(외국회사 소유지분은 40-50프로까지 인정)

　　3.이와관련, 쿠웨이트 정부산하 PETROCHEMICAL INDUSTRY는 미국,영국,일본등 20여개 회사와 접촉중이며, 1993년 중반까지는 구체사항에 대한 교섭을 끝내고 사업에 착수할 예정이라고함.

　　4.우리나라에서는 효성이 생산된 에칠렌을 국내에 반입한다는 조건으로 상기 사업부자에 큰관심을 갖고있다 하는데, 3.7 온참사관이 AL-HADAD 부사장을 만나, 효성측의 의사를 전달하였던바, 생산및 경영기술등 이전을 조건으로한 외국회사 부자를원칙으로 하고있으나, 효성측 관계자들과 구체적 협의를 거친후 결정하겠다고 하였음.끝

　　(대사대리-국장)

중아국　　　중아국　　　통상국

외 무 부

종 별 :

번 호 : KUW-0164

일 시 : 92 0310 1400

수 신 : 장관(봉삼,중동일 사본:소병용대사)

발 신 : 주 쿠웨이트 대사대리

제 목 : 쿠웨이트 경비정 구매계획

1. 쿠웨이트 해안경비대는 110 톤급 경비정 2 척구매를 2.16, 국제경쟁입찰에 부쳤는데,3.10 온참사관이 OMAR 해안경비대장과 만나 구체사항을 문의, 동인의 언급내용을 아래보고함. 본건은 삼성과 대우가 입찰에 참가할 예정임.

1)1997 년까지 30 척의 해안경비정을 확보할 계획으로 금년에는 우선 2 척만 구매할것이고,93 년부터는 매년 5 척씩 발주할예정임.경비정에는 경기관총 4 대만을 장착하고 다른 무장은 하지않음.

2)미국.스웨덴. 영국.이태리.일본등에서 40 개회사가 입찰에 참가하고있음.

3)경비정 가격은 언급할수 없으나 89 년 동일형태 경비정 발주시 420 만불선에서 낙찰되었던것을 참고바람.

4)89 년 입찰시 삼성이 가장 적격회사로 판단되어 삼성에 발주하였었으나, 그후 몇가지 기술적문제가 있는것으로 나타나 동발주가 취소되었지만, 지금도 삼성에대한 평가는 변함없음.

5)금년에 발주하는 2 척은 앞으로 발주될 30 척에 대한 TRIAL CASE 인만큼 한국회사들이 품질및 가격면에서 최선을 다해주기바람.

2. 쿠웨이트 정부는 91/92 회계년도 국방예산을 91 억불로 책정하고 국방력강화에 역점을 두고있는데, 상기 경비정 구입도 이의 일환인 것으로 보임.

3.OMAR 대령 언급과같이 금년 발주하는 2 척은 차후에 발주할 30 척과 연관될것으로 보임.끝

(대사대리-국장)

예고:92.12.31. 일반

통상국	차관	1차보	2차보	중아국	중아국	분석관	안기부	

→ 통1

주 쿠 웨 이 트 대 사 관

주쿠웨이트 (경) *720-95*   1992. 3. 15.

수 신 : 장   관

참 조 : 통 상 국 장, 중 동·아프리카국장

제 목 : 쿠웨이트 국제박람회 참가 보고서

        연 : Ku W- 468,506

        대 : 통 이 20655 - 21897

        92.2.26.- 3.3.간 개최된 쿠웨이트 국제박람회에는 16개 우리 업체가
참가하였는데, 동 결과를 아래와 같이 보고합니다.

                        - 아   래 -

1. 박람회 개최 현황

    - 참가국 및 참가업체

        ㅇ 미·영·프랑스, 스웨덴, 스위스, 독일, 중국, 일본 등 41개국

            570개 업체 (자회사를 포함하면 1500개사 참가)

    - 관람자 동향

        ㅇ 일일 평균 1,500명 참관, 총 27,250명 참관

        ㅇ 인근 사우디, 바레인 등 걸프지역 바어어 다수 참관, 상담

2. 우리 업체 참가 실적

    - 실계약 및 상담 추진 실적

        ㅇ 계약 : 2,114,784 미불

        ㅇ 추진 : 16,521, 952 미불

        ㅇ 상담업체수 : 851 개사

        ㅇ 업체별 품목별 상담실적 : 유첨자료 참조

3. 한국관 전시품 평가

    - 동 박람회는 쿠웨이트 전후 복구공사에 필요한 각종 원부자재 및 소비재

접수일시 1992. 3.19

처리과

15879

0028

공급선을 물색하기 위해 개최되었음.

- 한국관의 경우 민족한 품목전시는 이루어 지지 못하였으나, 대체로 정부구매처나 수입상들이 긴급히 구매코자 하는 품목이 있어 수입상들로 부터 좋은 반응을 얻었음.

- 그러나 소방기구, 특장차의 경우 기대한 만큼의 효과는 없었으며, 전기 통신자재, 생필품, 건축 자재 전시품이 없어 더 많은 상담계약이 이루어 지지 못하였음.

- 품목별 평가

  ○ Eching Glass

    · 쿠웨이트의 각종 건물 및 주택복구 자재로 신규 개발된 디자인 등이 바이어들로 부터 인기를 끌었으며, 아랍시장에 알맞는 디자인과 색상 등으로 동 품목의 진출이 유망시 되고 있음.

  ○ Anchor. scaffolding

    · 건축자재 전문사들로 부터 주문 상담이 많았으며, 특히 걸프지역 대형 건축사들로 부터 장기 공급 계약 상담이 추진되고 있음.

  ○ 직물 등

    · 소량이나마 공급 계약이 그치지 않고 이루어 졌으며, 중국이나 대만 제품보다 품질이 우수하다는 평가를 받았음.

  ○ Block making machine

    · 전쟁으로 파괴된 도로 보수 및 노면상태가 좋지 않은 도로와 건물용 블럭의 수요증대에 맞추어 대량생산이 가능한 동 기계를 전시함으로써 신규 주문이 예상되는 품목임.

    · 특히 동 박람회에 참가하고 있는 루마니아 산업성과 동 기계생산에 대한 합작투자 계약이 체결되었음.

4. 평가 및 건의 사항

  - 평가

    ○ 전문생산 업체 위주 전시 참가 필요

      · 종합상사의 다품목 전시효과가 저조하고 상담 자체에 문제점 대두

    ○ 93년 전시회에 중.소 전문업체 재참가 희망

      · IMEX CO, 덕산기공, 고합, 한성물산 등

0029

· 중동 제일의 박람회로 평가되어 인근국 바이어들의 관심제고

- 건의사항
  ㅇ 전기, 가정용품, 건축자재, 직물, 통신 기자재, 의약품 및 의료기기
    전시 참여 및 유도

유 첨 : 업체별 품목별 실적   끝.

주 쿠 웨 이 르 ㆍ 대

업체별, 품목별 상담실적 내용 　　　쿠 웨이트 무역관

업 체 명	상 담 품 목	계 약 액 $	추 진 액 $	기 타
1. 성도 (주)	POLY KNIT 100%	40,250		
	POLY VELBET 100%	15,750		
	POLY PONGEE 100%	104,000		재화인견
	계	160,000	102,000	
2. 아남정공	손목시계및 벽시계	–	–	
3. 신라소방산업(주)	ALLM.LADER	23,400	24,570	
4. 서영물산	PIPE JACK	112,000		
	ANCHOR	109,570		SAUDI A.
	SCAFFOLDING	100,803		
	IRON PARTS. ETC	13,750		
	계	336,123		
5. IMEX CO.	ECHING GLASS	36,900	86,000	
	GLASS CUP	18,496		
	PHOTO MIRROR	300		
	계	55,696	86,000	
6. 한덕기계	BLOCK MAKING M/C	189,000	835,342	
7. 덕산기공	BLOCK MAKING M/C	711,850	8,406,000	ROUMANIA
				J/V상담중.
8. 쌍 용	PIPE등	–	5,300,000	
9. 광림특장차(주)	조립부품상담	–	–	
10. 동은금속	KNIFE, GLASS CUP	116,210		
	ALLM. KETTLE	8,705.44		
	계	124,915.44		
11. 한성물산	DOWN QUIL	7,100	866,000	
12. 고력합섬 (주)	POLY POONGEE 100%등	418,100	501,300	
13. K. NAPPCO	VALVE FIITTING	–	–	추진중

0031

14. 삼성전자 (주)	TV. RADIO 등	18,600	400,740	직판실적
15. 아카데미	WRIST WATCHES	20,000	=	
16. (주) 대우	특장차 판매	50,000	–	AGENT 물색중
	총 계	$ 2,114,784.44	$ 16,521,952	

0032

외　무　부

종　별 :

번　호 : KUW-0177　　　　　　　　　　일　시 : 92 0318 1300

수　신 : 장 관(중동일,통삼)

발　신 : 주 쿠웨이트 대사

제　목 : 수입관세 부과면제 기간연장

연:KUW-853

1. 쿠웨이트　상공부,관세청,국회경제위원회는92.3월말로　끝나게　되어있는　연호 수입관세부과 유예기간을　3개월이나　또는　금년말까지　연장할것을　3.15 재무부에 건의한것으로 보도됨.

2. 동관련하여,관세청 관계자는 관세청으로서는　관세부과 면제기간을 더이상 연장할 계획이　없고,예정대로　4.1부터　수입물품에　대해　관세를　징수할것이라고 하고,그러나,관세부과 면제기간 연장여부는 각료회의가 결정할 사항이라고 언급함.

3. 한편,쿠웨이트　관세청은　관세징수　업무를　체계적으로　수행하기　위해 미국회사(이름은 밝혀지지 않음)와 계약을 체결,기초업무를 하고있는 것으로 알려지고 있으며,미국 관세청과 관세징수 협력협정 체결을 검토하고 있는데(2월말 미국 관세청 고위직원　2명이　쿠웨이트를　방문하였음),상기　관세징수 유예기간 설정은 쿠웨이트 관세청측의　인력부족과　관세징수　업무미숙과도　관련있는　것으로보임.전전 파레스타인인들이거의 모든 관세징수업무를 담당하여 왔었으나 전후 이들은 모두 출국하였음.끝

(대사대리-국장)

중아국　　통상국　　관세청

　　　　　　　　　　　　　　　　92.03.18　　20:49 DS

외신 1과 통제관

0033

주 쿠 웨 이 트 대 사 관

쿠웨이트 (경) 720-106   1992. 3. 29.

수 신 : 장   관
참 조 : 중동·아프리카국장, 통상국장
제 목 : 현대건설 중단공사 재개 합의

　　　　1. 현대건설은 걸프전 때문에 중단되었던 공사를 재개하기 위해 잔여 공사금액 인상율에 대해 그동안 쿠웨이트 공공사업부 등 관계부처와 접촉해 왔었는데, Mirqab 고차로 등 2건의 도로 공사는 잔여공사 대금을 전전 기준 39% 인상한다는 조건으로 공사 재개에 합의하여 (3.14.) 국무회의의 승인을 얻는 대로 공사를 착수할 예정입니다. 이 도로 공사의 잔여공사 대금은 4300만 미불 이었으나, 39%를 인상하여 7000만 미불로 공사를 재개할 예정입니다.

　　　　2. 상기 도로 공사 이외 송전소 공사 등 3건의 잔여공사 재개에 대해서는 발주처인 수도전력부와 잔여공사 대금 인상율에 대해 계속 접촉하고 있습니다.

　　　　3. 현대건설이 당지에서 시행하던중 걸프전으로 중단된 공사 내역은 아래와 같습니다.

공사명	금 액	진 도	공 기
미르캅 도로공사	4,500만 미불	44 %	86.6.-91.5
First Ring Road Stage 3A	4,350만 미불	71 %	88.2.-91.7
쑤바비아 송전소 공사	9000만 미불	90 %	
지하저수조 공사	4600만 미불	90 %	
아지주르 배수 단지	9000만 미불	9 %	

끝.

18795   주 쿠 웨 이 트

0034

KOREA ELECTRIC WIRE INDUSTRY COOPERATIVE

39-812, YONGDU-DONG, DONG DAE MUN-KU, SEOUL, KOREA
TEL:962-9691~3, FAX:962-9291, TLX:KEWIC K29839

전선공협(사업)제92-214호   1992. 3. 30.

수 신   외무부장관

제 목   국제입찰 참가승인

1.   대외무역관리규정 제7-3-2조의 규정에 의거 다음과 같이 국제입
찰 참가를 승인하였으니 필요한 지원조치를 취하여 주시기 바랍니다.

                      다   음

가. 입 찰 국 : KUWAIT

나. 입찰기관 : MOC,KUWAIT

다. 입찰일시 : 1992. 4. 12 (입찰번호 : PTT-9107/91-92)

라. 품목및 수량 : OPTICAL FIBER CABLE 200KM

마. 승인상사 : 금성전선(주)

바. 승인조건 :

사. 승인사유 : 입찰마감일전 1개사 신청하여

10795

한 국 전 선 공 업 협 동 조 합
이사장   이   형

0035

외 무 부

종 별 :

번 호 : KUW-0208   일 시 : 92 0331 1430

수 신 : 장 관(봉삼,중동일 사본:상공부장관)

발 신 : 주 쿠웨이트 대사

제 목 : 수입관세 면제기간 연장

연:KUW-177

　　1.쿠웨이트 정부는 3.30 연호 수입관세 면제기간을 3개월간 더 연장하기로 결정하였음.

　　2.이에따라 쿠웨이트 수입업자들이 수입하는 모든물품에 대해 6.30.까지 수입관세가 부과되지 아니함.

　　3.이사실을 우리수출업계에 통보하여 주기바람.끝

　　(대사소병용-국장)

통상국　　중아국　　상공부

PAGE 1   92.03.31　　21:09 FN

　　　　　　　　　　　　　　　　　　　　　　외신 1과 통제관

　　　　　　　　　　　　　　　　　　　　　　0036

관리	P2-
번호	386

외　무　부

종　별 :

번　호 : KUW-0210　　　　　　　　　　일　시 : 92 0402 1800

수　신 : 장관(통삼,중동일)

발　신 : 주 쿠웨이트 대사

제　목 : 쿠웨이트 경비정구매입찰

연:KUW-0164

1. 삼성물산 현지대리인 GASSIM (방글라데시 주재 쿠웨이트전직대사)이 3.31.에 다음 조선회사들이 연호경비정 입찰을 위한 P.Q(응찰자격심사)통과회사들로 결정되었다고 알려왔으므로, 사실여부를 확인하고 또한 도움을 청하기위하여 4.2 내무부의 담당차관보(ASST.UNDERSECRETARY FOR SECURITY AFFAIRS) GENERAL ABDUL AZIZ 를 방문하였음.

　다음

　1)FBM MARINE

✓ 2)SAMSUNG LTD

　3)DAMEN SHIPYARD

　4)SINGAPORE SHIP BUILDING

　5)SWAN HUNTER INT'L

　6)K AND V.KAHLSKRONA UERVET AB

　7)AUSTRALIAN SHIP BUILDING IND.

　8)VOSPER THORNG CROFT LTD

　9)BLOHM AND VASS

　10)TAKOMA SHIP BUILDING CO.

검토필(19　. .   .)

2.ABDUL-AZIZ 차관보는 위회사들이 1989 년 경비정 입찰때의 P.Q 합격회사들인데 이번 경비정 구입이 급하고 또한 1989 년에 이들 조선소들을 쿠웨이트 관계인들이 시찰하고 결정한사실도 있는등 이유로 이번입찰에 이들회사들의 P.Q 는다시 심사하지 않기로 결정했다고 말했음. 또한 삼성의 조선능력을 내무부당국은 좋게 평가하고 있다고도 말했고 자기로서는 적극협력할 의향이라고 말했음.(차관보는 GASSIM 의

통상국	차관	1차보	2차보	중아국	분석관	안기부

PAGE 1　　　　　　　　　　　　　　　　　　92.04.03　23:19

외신 2과 통제관 FM

0037

형임)

    3. 본직은 이번 입찰 관련하에 협력을 요청하는 외에 ABDUL-AZIZ 차관보가 경찰및 보안 실무책임자임으로 관계분야 전반에 관한협력(물품, 장비조달등)을 염두에두고, 방한하겠으면 우리비용으로 초청하겠다고 말했는데, 그는 금년 일정이 꽉 짜여져 불가능하다고 말했음. 끝
    (대사소병용-국장)
    예고:92.12.31. 일반

PAGE 2

외 무 부

종 별 :

번 호 : KUW-0265

일 시 : 92 0502 1400

수 신 : 장관(중동일,통이)

발 신 : 주쿠웨이트대사

제 목 : 건설회사 소개

1. 쿠웨이트 수도전력부는 식수공급을 위하여 4개의 해수탈염시설(DISTILLATION PLANT)을 건설하고 자동설계및 설치에 경험있는 회사들을 상대로 국제경쟁입찰에 부쳤음. 한개의 탈염시설은 일일 600만 갤런의 정수를 생산해야 하는데, P.Q 제출마감일은 92.8.1 12:00임.

2. 상기관련, 쿠웨이트 전주택장관 AL-SHMAIT 는 우리회사 AGENT 로서 위사업에참여코자한다며, 경험있는 회사와 연결시켜 줄것을 요청해왔음.

③ 전기 1항사업에 경험있는 우리회사들 명단을 통보해주면 AL-SHMAIT 로 하여금이들과 직접 연락토록 하겠으니 알려주시기 바람.끝

(대사 소병용-국장)

중아국   통상국

92.05.02   23:00 DW

외신 1과 통제관

0039

외 무 부

110-760 서울 종로구 세종로 77번지 　/ (02)720-2327 　/ (02)720-3969

문서번호 중동일720-1135

시행일자 1992. 5. 2.(　　　)

수신 : 주쿠웨이트대사

참조

취급		장 관	
보존			
국 장			
심의관			
과 장	전 결		
기안	주 중 철		협조

제목 : 쿠웨이트 전후 복구사업 참여 확대

　　　연 : WKU - 0115

　　　연호, 안기부의 "걸프전후 복구사업 참여 확대 방안"을 별첨 송부합니다.

　　　첨부 : 동 자료 1부.

　　제2! 첨부물 윤리시 민안

외 무 부 장 관

0040

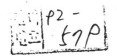

주 쿠 웨 이 브 대 사 관

문서번호 : 주쿠웨이트(경) 720-141
시행일자 : 1992. 5. 10

수　신 : 장　관
참　조 : 중동아프리카국장, 통상국장
제　목 : 쿠웨이트 전후복구사업 참여 확대

대 : WKU - 115, 중동일 720 - 1135
연 : 쿠웨이트(경) 2582 - 45(91. 6. 22),
　　　KUW - 321(91.7.1), KUW - 378(91.7.22)

우리업체의 쿠웨이트 전후 복구사업 참여 확대방안을 별첨으로 보고합니다.

첨　부 : 쿠웨이트 전후복구사업 참여 확대방안. 끝.

주　쿠　웨　이　트　대　　사

0041

쿠웨이트 전후복구사업참여확대방안
===

1. 현 황

- 1991. 10. 쿠웨이트 정부는 향후 5년간 약 300억불의 경비가 소요될 것으로 보이는 복구사업 우선순위를 책정하였는데, 이에 따르면 1) 원유, 정유시설 복구 2) 발전시설 설비, 3) 도로 항만보수 및 확충, 4) 통신시설확충순이고 특히 원유시설 복구에는 약 80억불이 소요될 것으로 예상되고 있음.

- 91/92 회계년도 국방비는 91억불로서 군사기지 및 시설 재건, 군사장비구매에 사용될 것인데, 국방관계공사는 우선순위와 관계없이 긴급으로 실시되고 있음.

- 위 복구공사와는 별도로 전쟁전 전력수도부 및 공공사업부가 주관해오다가 전쟁으로 중단된 공사도 재개하도록 결정되었음.

2. 공사발주원칙

- 1단계 긴급공사 발주시는 미국, 영국, 프랑스, 사우디등의 회사에게 수의계약 형식의 특혜를 부여하였으나, 장기복구계획에의한 공사발주는 국제공개경쟁 입찰원칙에 따르고 있음.

- BECTEL 등 미국회사가 경쟁입찰 서류심사등에 관여하고 기술적 측면에 대한 CONSULTANT 역할을 함으로서 미국회사들이 비교적 유리한 위치에 있으나 경쟁입찰원칙에는 변함이 없음.

3. 공사자금 전망

- 복구공사비 책정으로 인해 91/92년도 예산은 지출 221억불, 수입 24억불로서 187억불의 적자를 보았고, 이를 보전하기 위해 91. 9. 55억불의 현금을 차관한 바 있음.

- 석유수입 증가(84억불 예상)로 92/93 예산안은 133억불의 적자가 예상되고

- 1 -

있는데, 석유수입의 지속적 증대 및 해외자산(900억불의 해외자산중 300억불은 전비지출을 위해 처분) 소득의 안정적 증대로 예산적자폭은 줄어질 것으로 전망됨. 지출예산규모는 217억불임.
- 쿠웨이트 정부는 필요한 50억불의 추가 현금차관을 검토하고 있는데, 산유량이 92. 12에는 전전수준인 150만 bpd 에 이를 것임으로 복구공사실시에 따른 자금형편은 좋아질 전망임

4. 발주 예상공사

    1) KOC(KUWAIT OIL CORPORATION)
      - 향후 5년간 약 80억불 상당의 원유 및 정유시설 복구, 신축, 확충공사 발주 예상

    2) 전력수도부
      - 담수 제조 및 저장 프랜트, 발전 및 송전시설 등 약 10억불 상당의 공사

    3) 공공사업부
      - 도로, 항만 보수 및 확충공사

    4) 국방부
      - 군사기지 및 시설재건, 군사장비 구매등

5. 우리업체의 참여 확대 방안

    1) 대호 확대방안은 우리업체의 보다많은 참여를 위해서 필요한 사항으로서 당관이 기왕에 연호로 건의한 바 있음. 다만, 연불 수출건은 당관이 작년 건의하였던 때와는 달리 쿠웨이트는 91년도 약 100억불에 이르는 CREDIT LINE 및 신용보증등을 미국, 일본, 유럽 각국으로부터 확보하였음으로 지금은 그 효과가 크지 아니할 것임.

    2) FINANCING
      - 공사입찰시 SUPPLIER FINANCING 을 쿠웨이트는 반드시 요구하

- 2 -

지는 않으나 이를 권고하고 있음으로 우리업체의 응찰시 고려하여야 할 사항임. 그러나, 쿠웨이트는 SUPPLIER FINANCING 과 스스로 마련한 FINANCING 을 비교형량하여 채택여부를 결정함으로 그 조건이 좋아야함.

3) 쿠웨이트업체와의 제휴

- 쿠웨이트 정부는 복구공사 발주시 자국업체들의 참여를 권장하기 위하여 가격등 조건이 유사하면 자국업체에 발주하는 것을 원칙으로 하고 있음으로 우리업체들이 쿠웨이트업체들과 제휴하는 것이 좋음.

4) 우리업체 지사등 유지

- 우리업체들이 쿠웨이트에 지사등 사무실을 유지하면서 공사발주처, 현지업체등과 긴밀한 접촉을 유지하면서 필요정보를 얻어내야 함. 미국 및 유럽 각국업체들은 공사는 하고있지않지만 사무실등을 유지하고 있음.

5) 기술향상에 의한 원가절감.

- KOC 가 발주한 저유탱크 4개 공사시(92. 3. 15) 삼성이 제시한 단위당 가격은 2,400만불 이었고, 미국(CBI)1,900만불, 이태리(FOCHI) 2,000만불, 쿠웨이트(KSRC)2,400만불 이었음.
- 삼성이 CBI 나 FOCHI 보다 높은 가격을 제시한 것은 이들보다 기술이 뒤쳐져 원가를 높게 책정할 수 밖에 없었던 것임.
- 쿠웨이트 어업공사가 발주한 어선 20척 구매입찰에는 대우 삼성등 15개 회사가 참가하였는데, 미국 BENDER 사는 척당 90만불을 제시하였고, 삼성과 대우는 각각 115만불, 350만불 이어서 BENDER 회사에 낙찰되었음.
- 또 해안 경비대가 발주한 경비정 두척 구매입찰에는 삼성등 17개 회사가 응찰하였는데, 낙찰자인 KSRC 는 1,200만불, 호주회사는

- 3 -

0044

1,350만불을 제시하였음에 비해 삼성은 1,500만불 제시함.

- 이와같이 우리업체들이 국내 인건비 인상과 기술낙후로 외국업체에
비해 경쟁력에 있어 뒤지고 있음으로 경쟁력향상을 위해서는 장기적
으로 기술개발에 의해서 원가를 절감하는 방안밖에 없음.

6. 상품수출 증대

1) 지사복귀

- 전쟁전 우리업체 지사가 8개 있었으나 전후 4개업체만 복귀했음.
이에 비해 일본은 40개 업체가 복귀하여 활동하고 있는 결과 91하반
기 및 92 상반기 일본의 대쿠웨이트 수출은 전전 수준에 이르고
있음.
- 업체 사정상 지사 설치가 어려우면 두바이 및 바레인에 설치된
지사를 활용하여 쿠웨이트에 자주 래왕하여야할 것임.

2) 상품전 개최

- 전후 미국, 프랑스, 영국, 이태리, 사우디, 이집트(3회), 중국(2회)
등이 상품전을 주최하여 큰 성과를 거두었음.
- 이에 비해 우리는 92. 2. 26. 개최된 쿠웨이트 국제박람회에
15개 중소업체가 참가하였을 뿐임. 끝.

- 4 -

0045

주 쿠 웨 이 브 대 사 관

문서번호 : 주쿠웨이트(경)720-142
시행일자 : 1992 . 5 . 11

수 신 : 장 관
참 조 : 통상국장, 중동아프리카국장
제 목 : 우리 건설업체요원 활동지원

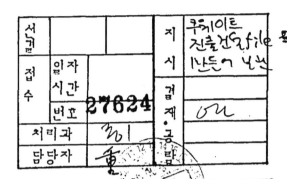

관:주쿠(경)720-141

한라건설 이행우 부사장등 동회사 간부직원 4명이 92. 5. 2~6간 쿠웨이트를 방문하였는데, 이들의 체재기간중 당관은 아래와같이 지원하였음을 참고로 보고합니다.

- 아 래 -

1. 쿠웨이트 경제동향 및 전후 복구사업 추진현황과 전망 설명

2. 쿠웨이트업체와의 합작을 위한 접촉 알선

   1) KUWAIT CEMENT CO.

   - RAZOUQI 사장과 시멘트 생산시설 복구 및 개조에 관한 면담

   ○ 공장방문, 개보수부분과 설비보완부분에 대한 설계도를 한라측에 제시하고, 한라측이 동추진여부 결정키로 합의

   2) KUWAIT CHEMICAL MFG. CO.

   - AL - FASSAM 사장과 파괴부분 복구 및 신규확장문제를 협의하고, 기계시공 가능여부에 대한 설계도 완성후 구체적 협의키로 합의

   ○ 쿠웨이트측이 6월까지 설계도를 완성, 한라측에 송부키로 하였으며 동 검토결과 실무진 추가 파견 협의

0046

3) AL - KHODAR INTERNATIONAL GROUP

   - AL - SUMAID 회장(전주 택부 장관)과 쿠웨이트 정부 발주 예정인 담수 제조 PLANT 국제입찰에 공동참여키로 합의

        ○ 5. 16 까지 한타측외 PQ 를 제출하고 입찰서류는 추후 입수되는 대로 전달받기로 합의

        4) 기타 AL - GHAMIN GROUP 및 AL - BAPTAIN GROUP 과 자동차 부품제조공장 설립에 관한 면담.

        ○ 추후 재차 협의키로 합의

   3. 동 방문결과 한타측은 쿠웨이트 또는 인근구에 지사설립, 위 협의사항을 적극 추진할 예정임. 끝.

                주 쿠 웨 이 트 대 사

                                          0047

주 쿠 웨 이 트 대 사 관

문서번호 : 주쿠웨이트(경) 920-143

시행일자 : 1992 · 5 · 11

수　신 : 장　관

참　조 : 통상국장, 중동아프리카국장

제　목 : 쿠웨이트의 수입통관 절차 및 제도

선결				지	사본→상공부, 재무부
접수	일자시간			시	(통상 3?)
	번호	**27625**		결재·공람	04
처리과					
담당자					

자료응신 제　　호

　　　쿠웨이트 관세법상 규정되어 있는 수입물품 통관절차 및 제도를 별첨과같이 송부
합니다. 이 자료는 당관의 무역관(KOTRA   )에서 조사한 것을 보완한 것입니다.

1992. 5. 11

첨　부 : 쿠웨이트 수입통관 절차 및 제도. 끝.

주 쿠 웨 이 트 대

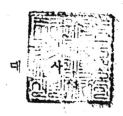

0048

쿠웨이트의 수입통관 절차 및 제도

1. 수입통관 절차

  가. 통관제도

    1) 세관 구조

      국무회의 의결제 162/80호에 의거 관세국의 기구는 아래와 같이
      구성된다.

      가) 공공관세청 (CUSTOMS ADMINISTRATION)

      나) 재정 및 행정국

      다) 중앙관세국

        - 관할지역 : (1) AL-DOHA PORT

                    (2) FAILAKA PORT

                    (3) AL-SHUWAIKH PORT

                    (4)   SHIPYARD IN THE CITY

                    (5) IN-COMING AND TRANSIT CONTROL

      라) 남부관세국

        - 관할지역 : (1) AHMADI PORT AND ARTIFICIAL ISLAND

                    (2) SHUAIBA PORT

                    (3) AL-NUAISEEB

      마) 북부관세국
        - 관할지역   (1) ABDALI CUSTOMS
                    (2) SALMI   "
                    (3) SHUAIKH VEGETABLES SHEET CUSTOMS

      바) 국제공항 관세국

      사) 육상, 항공 통제 관세국

                        - 1 -

2) 통관관련 법규와 권한

O 국왕법 기조

1951. 5. 15 국왕법 (THE AMIRI DECREE)

제 134, 135호에 의거 관세법을 제정하고 1980년 법률 제 13호

에 의거 관세법 개정공포 현재 적용

O 관세권한

쿠웨이트 (THE STATE OF KUWAIT) 인접 육상국 경선과

영해로 부터 6마일 이내 물품에 대한 관세권한을 유보한다.

- 각 항구 및 육상 세관국 에서 권한을 가지며 각종 자재, 상품,

천연자원, 동식물 및 산업제조품에 대하여 권한을 갖는다.

O 관세부과 제외품목

- 관계장관 승인 개인품목 또는 인정품

- 견본, 전시용 상품

단, 재반출 조건이며 기간내 (통상 6개월) 이행치 않을

경우 과세

- 고장으로 입항한 선박, 항공기의 수리용 부품

- 국제협약 (외교물품 등)에 의해 반입된 모든 물품

- 타국 소유 잘못 운송분 및 불가항력에 의거 수입된 물품의

60일이내 재반출품

- 법적 허가득한 자선, 사회기증품과 체육단체 기증품

- 2 -

0050

3) 상품의 포장

EXPORT STANDARD   에 기준을 두고 특별한 포장

조건은 없다.

다만, 포장명세서 (PACKING LIST   3부)

기본 작성에 유의해야 한다.

가) 송장수량

나) 포장마크와 상품의 수

다) 총 중량과 순 중량

타) 내부 개수포장, 상태, 과 상품의 포장물 표시 등

4) 상업송장 작성 (3부) 내용

가) 선박(항공기)명, AIRWAY BILL   번호,
   상품영수증 번호, 트럭 영수번호

나) 각 상품의 가격, 무게 (KILOGRAMM   표시)

타) 제조상품의 제조회사 국적과 원명

5) 관세제도

가) 관세율 종류

   · 과세기준 가격은 수입물품의 CIF 가격 기준이며
     수출차는 최소한 CNF 가격까지 제시해야 한다.

   O 기본 관세율 - 4%

   O 보호관세율 - 국내산업 보호를 위해 고율 관세부과
                15 - 30 %

- 3 -

0051

o 통과 세율 - 단순 육상 또는 해상 통과시 부과

   ı 최종 목적지 아랍국 경우 0.2 %

   ı 최종 목적지가 기타국 경우 0.4 %

o 면세율

   - 개인용통과 차량

   - 통과 및 수송 차량

   - 과학, 농산물통 및 국제기구 협약품

   - 통호병, 기후 등 선재지변 지원품

   - 지상, 해상 등 관측 기자재 등

나) 원산지 규정

   o 각 재초업체 주재국 상업회의소, 공인 무역기관 또는
     공업협회동에서 인정한 원산지 증명(3부) 제출
     - 재품의 원산지

     - 제품의 제조 사병

     - 제품의 생산보다 가공부자재 또는 해외 노동력이
       부가된 경우 국가별 생산비율(%) 표시

   o 원산지 증명 기재사항 불확인 경우
     - 선적자가 발행한 별도 명세서

     - 재초품의 재조회사의 상품 명세서

     - 상기 2조건을 상업회의소에서 확인 제시

   o 다음국의 수출, 원산지 증명서는 쿠웨이트 공관확인 또는
     아랍권 a-시국 가공판의 별적확인
     - 유첨 : 지정국 및 지역별 지정기관 명단 참조

- 4 -

0052

다) 관세 환급 제도

　　0 관련장관의 수입허가를 득한 물품으로써 원산지로의 반환
　　　요청 또는 반환 가능 경우 관세환불

　　0 관련기관으로 부터 수입금지품목으로 결정된 상품의 반송
　　　경우

　　0 수출입 당사자간의 분쟁으로 재수출 경우

　　0 이외에 1980년 개정법률 제13조에 의거 관세 환급제도 신설

　　　- 원부자재 수입물자를 수출상이 수출 이행시
　　　　다만, 수출 물품 가액이 　KD　3,000이상에 한함

　　　- 수입물품이 도착 통관하였던날로 부터 3개월이내 재수출된
　　　　경우
　　　　단, 수입 신고화주와 관세납부 화주가 일치해야 한다

　　　- 정부 관련기관의 법령 또는 결정하에 수출 제한이 없는
　　　　물품과 국내 산업보호를 위한 관세 4%이상의 과세대상이
　　　　아닌 물품

　　　- 수입신고 관세 징수싯점의 재수출 가격이 0.05% 이상의
　　　　써비스료가 부과된 세금

　　　- 상품 수입자나 대리점(　AGENT　)이 세관 당국에
　　　　재수출 신고서를 제출한 경우

라) 우리나라에 대한 관세대우

　　0 특별 차별관세나 호혜관세등 차등없이 　GCC　 국을 제외한
　　　기타국과 같이 일반관세를 적용하고 있다.

-5-

0053

6) 통관자동화 현황

○ 통관신고, 검사, 반출 수동

  - 각종 통관업무는 자동화되어 있지 못하고 사람의 육안과 직접
    서류검사를 실시하고 있어 현재의 인력과 업무 기능으로 보아
    자동화는 소원함

○ 자동화 추진계획

  - 자국의 업무 능력한계와 인력난으로 현재 미국의 통관전문
    유수 기업에게 통관자동화 추진을 용역 위탁하고 있는데
    이는 93년도에 시험단계에 이를 것으로 예상된다.

  - 자동화의 추진내용은 통관서류 COMPUTER 입력과 세번
    분류작업, 관세율적용 및 통계작업등이며,
    기타 소요인원은 외국인에게 용역 의뢰할것으로 알려지고
    있다.

○ 통관 등록업체 현황

  - 선박대리점, 대형 수출입업체 및 순수 통관브로커를 포함
    약 300 여개의 업체가 등록된것으로 알려지고 있으나
    전쟁전보다 활동량이 적고 주요 수입물품은 자가 통관등을
    실시하여 개인 브로커들은 최근 통관업무 등록증을 반납하는
    사례가 늘고 있다고 한다.

- 6 -

0054

7) 통관 법인현황

: 관세법 제 28조에 법적 수입신고 서류준비, 제출, 관련자료를
완벽하게 준비,
통관업무를 대행하기 위해 통관사 (CUSTOMS BROKER)
를 둔다.
통관사 (법인 포함)는 세관 당국으로 부터 허가를 득하여야
한다.

0 통관업체 (OFFICES 포함) 자격요건

- 업체의 사장(주인)이 쿠웨이트인 국적자로 모든 업무수행에
  책임을 수임할수 있는 업체

- 상공성에 영업 등록업체

- 쿠웨이트 상공회의소 (KCC) 등록업체

- 통관업대행 보증금 KD 1,000 와
  통관업무 수행자 과 임인당 KD 500의 보증금 납부업체

- 7 -

나. 수입통관 세부절차

1) 업무 흐름도, 소요시간

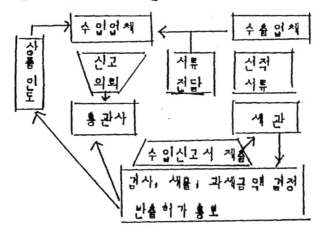

○ 절차 특징

각종 수입신고 서류작성과 물품검사, 세율적용, 과세가격 검정,
세관장의 최종 반출허가까지 약 20 여개의 싸인이 필요하며
순수 통관 작업소요 기입은 서류가 완벽하게 준비되었을 경우
최소 1주일이 필요하다.

○ 통관사 지정 필수조건

수입신고시 등록통관사를 통하여 통관 수속절차가 필수적이며
수입자 개인통관은 불허한다.
단, 면세 대상물목의 수입자 직접통관은 가능하나 대량물품
또는 지원물품의 통관은 통관사를 경유 해야 한다.

2) 세관 업무시간

정부 공무원 근무시간과 동일한 평일 09:00 - 14:00 ,
목요일(주말) 09:00 - 13:00까지 근무시간이나,
실제로는 09:00 - 12:00로 입일 불과 3시간밖 에 불과하다.
단, 반출시간은 세관장의 허가를 득하여 시간외 반출업무를
연장할수 있다.

- 8 -

0056

다. 통관 구비서류 해설

1) 통관 구비서류 종류

0 수입신고서

0 화물 인도지시서 (D/O)

0 선적서류

   - 선하증권 원본 (BILL OF LADING)

   - 상업송장 2부 (COMMERCIAL IN VOICE)

   - 포장 명세서 3부 (PACKING LIST)

   - 원산지 증명서 3부 (CERTIFICATE OF ORIGIN)

0 ISRAEL BOYCOTT   각서

   - 관보 제 130, 135호 게재사항
     제 3,4호에 의거 각서메모 첨부

0 수입허가서

0 기타 식품, 의약품 수입 경우

0 보건성 허가서

0 자동차, 기계류 빛 중장비의 GCC   표준검사서

- 9 -

0057

2. 수입통관제도

가. 일반 수입통제 제도

○ 수입자유화 원칙

모든 외국물자의 수입은 자유이나 국내 치안과 공공질서, 위생, 보건 및 국내산업 보호를 위하여 제한적 요소를 둔다.

○ 고율관세 분야

- 식품류 : BISCUIT, MACARONI 등 15%
- 포장용품 : 10-15%
- STEEL WOOL
- DYES
- FOUNDED METALS
- PLASTIC PRODUCTS
- ARISOLE   "
- CAST IRON   "
- ACID LEAD BATTERIES
- BABY DIAPERS
- CH EMICAL DETERGENTS, SHAMPOO, SWEET INHIBITERS :30%
- PLASTIC BAGS, COVERS :30%

- 10 -

0058

O 수입금지품목

- All asbestos pipes.
- Wheat and flour.
- Welded black sttel pipes of 8 to 48 inches diameter coated and uncoated.
- Vehicles used as motor lorries, buses or motor hauling trucks driven by other than gasoline.
- Oxygen gas for industrial and medical purposes.
- Alcoholic drinks save vinyl solution.
- Popy plant, seed and corps.
- Firework materials, air-guns.
- Alcoholic drinks save those imported by diplomatic corps and missions enjoying immunity.
- Prints, publications and photographs of pronography or inticing revolt or rebellion.
- Forged & Null Dirhams, Weights, measures and stamps.

O 수입제한 품목

- Acetated spirits
- Fire arms and ammunitions.
- Radiation instruments and equipments and radio-active materials.
- Insecticides and poisons.
- Anaesthetic pills and medicaments.

※상기수입제한품목은 필히정부 관련부서의 사전승인을 득하여
수입허가 통관한다.

- 11 -

0059

3. 무역분쟁 재판소

  0 설립 의의와 구성

    쿠웨이트인의 보호와 재산권 확보를 위해 수출입 분쟁을 조정하고

    공정 판결하기 위해 쿠웨이트 상공회의소 LEGAL DEPARTMENT

    내에 KUWAIT ARBITRATION COMMITTEE

    를 두고 있다.

  - 구성요원은 중재위원장 , 보조원 , 행정요원 등 4명이

    운영되고 있으며 ,

    사건시 마다 중재위원회의 심의와 의결를 거친다.

  - KUWAIT ARBITRATION COMMITTEE.

    POBOX : 775 SAFAT, 13008 KUWAIT, KUWAIT

    TEL : 241- 6378, 243 - 3854

    FAX: 243-3858

  - 기능은 국제 상업회의소의 기능과 동등한 권한과 의무를

    가지고 있다.

- 12 -

4. 국가 표준규격 (STANDARD   ) 제도

가. 표준 규격제도

1) 설립과 적용 범위

0 설 립

1982. 11. 9. BAHRAIN 에서 GCC 연안국 제 3차

회의시 THE STANDARDIZATION AND METROLOGY

ORGANIZATION FOR GCC COUNTRIES

의 표준 규격제도 설립을 동의,

1985. 6. 20일에 통록법 규정을 제도화하여 현재는 1989년에

신개정된 STANDARD 를 적용하고 있다.

표준규격 총본부는 사우디, RIYADH (POBOX : 85245,

FAX 479-3063   ) 에 두고 GCC 회원국

각국에 지부를 두고 있으며 KUWAIT 에는 상공성내에

표준국이 있다.

2) 유의사항

쿠웨이트를 포함한 GCC 연안국으로 신규 상품 수출경우

필히 동 표준규격 심사를 거쳐야하며,

합격품에 대하여는 GCC 연안국 각국 공통 적용되고 있다.

현재 통복군법도 GS 시리즈 번호를 부어 거의 전품목을

표준제도화하고 있음에 유의해야 하며 자세한 표준규격 심사

규정과 명세서는 관련 통록법도 구입할수 있다.

특히 식료품, 의약품, 자동차, 기계류등에 유의해야 한다.

- 13 -

5. 관세법 위반에 대한 재재조치

가. 수입품 검사

0 신고, 검사

- 물품이 도착 보세창고에 입고된날로 부터 15일이내에
수입신고되어야 하며

- 통관사에 의한 수입통관 절차에 따라 수입품 검사가 시작된다.

- 검사는 수량검사, 포장검사, 제품성질, 성능검사 및 서류검사
등으로 종결된다.

0 재재조치

- 물품을 속이거나 위장하였을시 필수로 간주 3년이내의 형과
벌과금 등 이중형법를 과할수 있게 되어있다.

- 금수품, ISRAEL BOYCOTT MEMO 해당품목

, 수입 통관기접, 반송조치

0 우리나라 상품의 통관규제 사례
현재까지 특별 규제는 없었으나   INVOICE   상의 수량과
실제 물품 검사시의 부족 수량등 애 대한 해명서 청구를 요구한
사례가 있음에 유의하여야 한다.

또한 식료품등의 유효기간 (EXPIRY DATE)
생산월일 기준 8개월이상 경과품애 대한 사유서 (라면, 체과류, 드링크류,
담배, 연초류 등) 제출를 요하고 있음에 유의해야 한다.

- 14 -

0062

부록 4.   원산지 증명 확인대상기관 명단   (KUWAIT)

1. 쿠웨이트 재외공관 또는 아랍국의 공관 확인 대상국가
   : CYPRUS , ETHIOPIA, GREECE, HOLLAND, IRAN, ITALY, KENYA,
   MALTA, ROMANIA, TURKEY

2. 쿠웨이트 정부 재외 확인대상 기관 (지역별 지정기관)
   - ATHENES : ARAB-HELLENIC CHAMBER OF COMMERCE AND DEVELOPMENT.

   - BONN   : ARAB-GERMAN CHAMBER OF COMMERCE

   - BRUXELLS : ARAB BELGIUM LUXEMBURG CHAMBER OF COMMERCE

   - DUBLIN : JOINT ARAB-IRISH CHAMBER OF COMMERCE

   - GENEVA : CHAMBRE DE COMMERCE ET D'INDUSTRIE ARABO-SUISSE

   - HONG KONG: HONGKONG GENERAL CHABER OF COMMERCE, OR

              THE FERDERATION OF HONGKONG INDUSTRIES

   - LISBON : ARAB-PORTUGUESE CHAMBER OF COMMERCE AND INDUSTRY

   - LONDON : ARAB BRITISH CHAMBER OF COMMERCE

   - MALAYSIA : 1.MALAYSIA INT'L CHAMBER OF COMMERCE AND INDUSTRY

              2.MALY CHAMBER OF COMMERCE AND INDUSTRY OF MALAYSIA

              3.NATIONAL CHAMBER OF COMMERCE AND INDUSTRY OF

                MALAYSIA

              4.MALAYSIAN ASSOCIATION OF MALAY EXPORTERS (MAME)

              5. FEDERATION OF MALAYSIAN MANUFACTURERS (FMM)

              6.UNITED CHAMBER OF COMMERCE SARAWAK

              7. SABAH BUMIPUTRA CHAMBER OF COMMERCE

- 20 -

- PARIS : CHAMBER DE COMMERCE FRANCO-ARABE

- ROME : ITALIO-ARAB CHAMBER OF COMMERCE

-SINGAPORE : 1.SINGAPORE TRADE DELOPMENT BOARD

           2.SINGAPORE MANUFACTURER'S ASSOCIATION

           3.SINGAPORE INT'L CHAMBER OF COMMERCE

-STATE OF CALIFORNIA : U.S. ARAB CHAMBER OF COMMERCE INC.

-STATE OF ILLINOIS : MID-AMERICAN ARAB CHAMBER OF COMMERCE

- WASHINGTON D.C. : NATIONAL US-ARAB CHAMBER OF COMMERCE.

- 21 -

발 신 전 보

분류번호	보존기간

번 호 : WKU-0128   920512 1726 WG   종별 : _____

수 신 : 주 쿠웨이트   대사. /총영사

발 신 : 장 관 (중동일)

제 목 : 건설회사 소개

대 : KUW - 0265

　　　대호 관련, 해외건설협회 조사에 의하면, 해수탈염 시설건설에 경험과 기술이
있는 아국업체는 현대건설 밖에 없고 현재 주쿠웨이트 현대 건설지사가 이 사업을 위해
현대건설 쿠웨이트 AGENT (UNITED GULF CONSTRUCTION COMPANY: AL-OMAR)을 통하여 국제
경쟁입찰 참여를 추진중이라고 하니 참고 하기 바람.　　　끝.

　　　　　　　　　　　　　　　　　　　(중동아프리카국장　최 상 덕)

보 안 통 제	

앙 고 재	년 월 일 과	기안자 성 명		과 장		국 장		차 관	장 관	외신과통제

0065

瑞旦建業 株式會社
SEODAN PRODUCTS CO., LTD.

C.P.O.BOX 10595,
SEOUL, KOREA.

MANUFACTURER
IMPORTER & EXPORTER

TEL : (02) 236-4549
FAX: (02) 234-6375

Fax No : 737-1375

Date : 17. 6, 1992
Ref. No.:

TO : 외무부 중동 1과
주 중철 사무관 귀하.

운의 하신 Kuwait 수출件 별첨과 같이
전문 발송하였아오니 참조하시어
업무에 참조라 많은 배러바랍니다.

서란건업(주)
정 세 진 拜上.

0066

瑞旦建業株式會社
SEODAN PRODUCTS CO., LTD.

C.P.O.BOX 10595,   MANUFACTURER   TEL: (02) 236-4549
SEOUL, KOREA.   IMPORTER & EXPORTER   FAX: (02) 234-6375

Fax No.:965 240 1429

To   : Sadeer Trd. & Cont. Co.   Date: 16.06,92
Attn : Mr. A.K.Dakkak   Ref. No.:
Subj. : L/C 25-060291951013 U$12,614.50

Dear Sirs,

Thanks you very much for your kind cooperations.
As I informed you by fax dated 23 Dec,1989, the phone/fax numbers
have changed. I changed the company's name to SEODAN PRODUCTS CO.,
LTD. from SEODAN IND.CO.,LTD. in the year 1990.

You have sent the order U$16,141.60 before the Gulf War, and we
produced your ordered items, but could'nt shipped by the War.
And so we have abandoned whole products cause of the white rust
at December,1990.
But we fortunatly received your revived order at August,1991 at
the same prices in spite of the ocean freight was much increased
in the hope to continue our mutually profitable business relation-
ship. We regrettably missed to ship 26400meters of Corner Bead
and Control Joint by our mistake. So we requestedyou we can ship
the undispatched items alongwith your new order, and you agreed
with and sent the new order at April, 1992.

We did our best to ship your new order within the expiry date on
the L/c, but it was very difficult to produce the all items in
the short time because of the un-standard items as informed you.
We therefore, have requested you to extend the L/C validity so
that we can dispatch the all items. but we didm't received your
confirmation till today.

We hope to continue our business relation and will do our best
to serve you to succeed in business.
I have business relation with 'Ahmadiah Contracting & Trading Co'.
since the year 1984.
If you can contact with them, Mr. Raed A. Al-Thuwaini can advise
you for me.

0067

-continued -

As informed you, our new factory will be fully operated in July, and then we can ship your any order within 45 days after receipt of your L/C.

Appreciating your close cooperation and Awaiting your kind reply, we remain.

Thanks once again and Best Regards,

SEODAN PRODUCTS CO., LTD.

S. J. JUNG - PRESIDENT

0068

KOREA ELECTRIC WIRE INDUSTRY COOPERATIVE

39-812, YONGDU-DONG, DONG DAE MUN-KU, SEOUL, KOREA
TEL:962-9691~3, FAX:962-9291, TLX:KEWIC K29839

전선공협(사업)제92-474호   1992. 6. 17.

수   신   외무부장관

제   목   국제입찰 참가승인

1. 대외무역관리규정 제7-3-2조의 규정에 의거 다음과 같이 국제입찰
참가를 승인하였으니 필요한 지원조치를 취하여 주시기 바랍니다.

                        다   음

가.   입 찰 국 : KUWAIT

나.   입찰기관 : MINISTRY OF COMMUNICATION

다.   입찰일시 : 1992. 6. 21. (입찰번호 : PTT 9102/91-92)

라.   품목및 수량 : TELEPHONE CABLES 1,385KM

마.   승인상사 : 대한전선(주), 금성전선(주), 럭키금성상사(주)

바.   승인조건 :

사.   승인사유 : 승인신청업체간에 자율합의가 안되어 공업연합회에서
               검토기준에 의거 적격업체를 선정함. 1992. 6. 17

              한 국 전 선 공 업 협 동 조 합
              이사장   이

외 무 부

종 별 :

번 호 : KUW-0376

일 시 : 92 0630 1300

수 신 : 장 관(중동일)

발 신 : 주 쿠웨이트 대사

제 목 : 군장비 카다록 송부

쿠웨이트 국방부와 군납업체등에 제공코자 하니 국산군장비(군복등 개인장비 제외) 카다록 10부를 추가로 파편 송부바람.끝.

(대사소병용-국장)

중아국

PAGE 1

92.06.30   19:51 CO

외신 1과 통제관 ∨

0070

주 쿠 웨 이 브 대 사 관

문서번호 : 주쿠웨이트(경)20100 - /94
시행일자 : 1992 . 7 . 6

수   신 : 장 관 (사본 : 건설부장관)
참   조 : 중동아프리카국장 , 통상국장
제   목 : 현대건설 공사 재계약

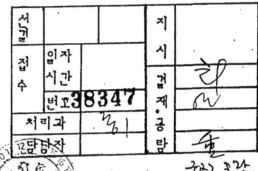

국견 공간.
사본 → 건모부

현대건설이 전쟁전 수주, 공사를 진행했던 3 순환도로공사,송전선 및 저수조공사의 재
계약 현황을 아래 보고합니다.

    1. 현대건설은 전쟁으로 중단되었던 쿠웨이트시 1번 순환도로의 잔공사에 대하여
92. 7. 5. 쿠웨이트 정부로부터 낙찰의향서를 받아 공사재개를 위해 준비중이며, 8월중
실제작업이 시작될 것으로 보입니다. 전쟁전 총공사 계약액은 KD 25,933,000 이었으며,
잔공사분에 대한 재계약 금액은 전쟁전 계약액 KD 12,644,000 에서 39. 5 % 인상 조정된
KD 17,644,000(약 6,100만불) 입니다.

    2. 또한 수전력부로부터 수주받은 송전선공사와 저수조공사는 전후복구공사의 우선
순위에서 밀리고, 재계약액이 타결되지않아 아직 공사가 재개되고 있지 않으나 재계약을
위해 계속 발주처와 교섭하고 있습니다. 현대건설측이 수전력부에 제시한 잔공사 금액은
송전선 공사 KD 20,058,128, 저수조공사 KD 16,420,000이며 이는 전쟁전 계약액보다
28 %, 35 % 각각 상향 조정된 것입니다.

첨   부 : 1번 순환도로 완공공사 낙찰의향서 사본 1부. 끝.

        주 쿠 웨 이 브 대

                                          0071

بسم الله الرحمن الرحيم

Ministry of Public Works

وزارة الأشغال العامة

MINISTER'S OFFICE

مكتب الوزير

Ref. : RA-9/4/410-6819

المرجــع

Date : 5 JUL 1992

التاريخ

M/s. Hyundai/UGCC Joint Venture,
P.O.Box 24314,
13104 Safat,
KUWAIT

Dear Sirs,

Subject: Contract RA/410
              First Ring Road Completion Projects
              A. Istiglal Interchange
              B. Mirqab Approach Roads
              Letter of Intent

We refer to the recent discussions between representatives of the Ministry and Hyundai/UGCC Joint Venture regarding the reactivation of work on the First Ring Road, and confirm that it is the intention of the Ministry to award the Contract RA/410, First Ring Road Completion Project to Hyundai/UGCC Joint Venture.

The total Contract Amount shall be KD.17,644,000.- which comprises the amount of KD.12,644,000.-, being the estimated value of works which remain to be executed from the two abrogated Contracts RA/157 and RA/207, with the addition of a 39.544447% uplift.

The preparation of new Contract documentation is now in progress and we expect that the contract will be ready for singature by both parties within a few months. It will be necessary for the Ministry, Consultant and Contractor to liaise during this period in the preparation of the Bills of Quantities and the drafting of suitable additional terms of contract.

The quantities to be set out in the new Bills of Quantities shall be the estimated quantities of the works. The actual works executed shall be subject to remeasurement upon completion.

The time for completion of the Contract shall be 23 months from the date of enterprise.

....2/-

0072

ص.ب ٨ الصفاة ١٣٠٠١ الكويت ــ تلفون : ٢٤٥٣٩٥٦ ــ تلكس : ٢٢٧٥٣ أشغال ــ فاكس : ٢٤٤٧٤٤٠ ــ برقيا : الأشغال ــ الكويت
P. O. Box 8 Safat. 13001 Kuwait - Tel. 2453956 - Telex: 22753 ASHGHAL - Fax: 2447440 - Cable : WORKS KUWAIT

270   걸프 사태 전후복구사업 참여 2

بســـــم الله الرحمن الرحيــــم

وزارة الأشغال العامة

مكتب الوزير

المرجـــع _____

التــاريـــخ _____

- 2 -،

Accordingly you are requested to proceed, on the basis of this Letter of Intent.

With regard to the dewatering works, we confirm that the following amounts will be included within the new Contract Bills of Quantities and will be paid to you within one month after signing the Contract. The authorized uplift percentage will be reduced accordingly in proportion to these amounts:-

(1) the lump sum item, in the amount of KD.273,000/-, for the supply and installation of dewatering equipment.

(2) the daily rate, in the amount of KD.295/- per day, for operation and maintenance of the dewatering system for the period up to the date of enterprise, on condition that this period shall not exceed 5 months.

The programme and scope of the dewatering works should be discussed and resolved with the Director of Motorways, before the commencement of these works.

We would stress, however, that this letter of intent is conditional upon your commencement of the actual operation of dewatering equipment not later than 6 weeks from the date of this letter.

We attach a copy of the letter from the Ministry of Defence stating that the site areas of the two abrogated Contracts have been inspected and that no dangerous or explosive articles were found. We confirm that the Ministry shall indemnify the Contractor in respect of any damage to property or injury to persons which may arise due to the presence of ordnance, explosive devices etc. on the site of the works.

......3/-

0073

بسم الله الرحمن الرحيم

Ministry of Public Works

MINISTER'S OFFICE

Ref. : _____

Date : _____

وزارة الأشغال العامة

مكتب الوزير

المرجع _____

التاريخ _____

- 3 -

The new Contract documentation will be based on the documentation for the abrogated Contracts RA/157 and RA/207.

The terms and conditions set out in your letter IIK/627 dated 14th March 1992 will be studied by this Ministry in the light of Conditions of Contract and the relevant Kuwaiti Laws and Regulations. All works carried out during the period up to the signing of the new Contract shall be in accordance with the documentation for the abrogated Contract RA/157 and RA/207.

You should liaise closely with the Chief Engineer - Roads and the Consultant, L.G. Mouchel, with regard to all works which you propose to carry out during this precontract period.

Yours faithfully,

(ABDULLA Y. AL-QATAMI)
MINISTER OF PUBLIC WORKS

0074

ص.ب ٨ الصفاة ١٣٠٠١ الكويت — تلفون : ٢٤٥٢٩٥٦ — تلكس : ٢٢٧٥٣ أشغال — فاكس : ٢٤٤٧٤٤٠ — برقيا : الأشغال — الكويت
2453956 — Telex: 22753 ASHGHAL — Fax: 2447440 — Cable : WORKS KUWAIT

주 쿠 웨 이 브 대 사 관

문서번호 : 주쿠웨이트(경)20300-214
시행일자 : 1992. 7. 6

수　신 : 장　관
참　조 : 통상국장, 중동아프리카국장
제　목 : 수출기약(서단공업주식회사)

　　　이 일은 적은 금액이지만 쿠웨이트 수출에 적지아니한 나쁜 영향을 끼칠것으로 생각되어 특별히 보고하니, 관할 세무서나 경찰서를 통해서라도 이 회사가 믿을만한 회사인지, 돈을 받고 선적하지 아니한 물건을 곧 보낼것인지, 아니면 선적 불이행 물건값을 환불할 것인지를 알아 보아주시고 또 약속을 꼭 이행하게 해주시기 바랍니다. 우리 대사관은 이 일이 매우 중요하다고 생각하니 꼭 회보해 주시기 바랍니다.

　　　1. 쿠웨이트의 SADEER TRADING CONSTRUCTION 회사가 1991. 10.에 건축 내장재 수입을 위하여 $ 16,141.60 신용장을 열었음. 상대는 서단건업 주식회사 (전화 02 - 236 - 4549, FAX 02 - 234 - 6375, 사장 정세진씨) 임

　　　2. 서단은 91. 10. 28 에 물건을 선적했는데 이때 $ 5,640.00 어치 GALV CORNER BEADS 와 CONTROL JOINT 를 싣지 아니했음.

　　　3. 서단은 위사실을 인정하고 (92. 3. 12 서한) "한번 더 물건을 주문하면, 그 물건 선적할 때 위의 미선적 물건도 보내 주겠다" 고 했음.

　　　4. 수입자는 이에따라 92. 3. 23에 다시 $ 12,614.50 신용장을 개설했음.

　　　5. 선적약속 일자는 92. 5. 20 인데 6월 초순에 선적 날짜가 늦어지겠으니 L/C 를 6. 30 까지 연장해 달라고 수입자에게 FAX 로 요청했음.

0075

6. 위에 적은 것이 우리 대사관에서 알고 있는 사실인데, 수입자가 L/C를 연기해 주었는지는 알아보지않고 있음. 그것은 우리 대사관이 "너무" 간여했다가 서단이 결국 수출부도(불이행)를 내면 대사관 입장이 곤란해 질 것을 염려해서임. 끝·

L/C

주 쿠 웨 이 트 대 사

0076

주 쿠 웨 이 브 대 사 관

문서번호 : 주쿠웨이브(경) 2065-216
시행일자 : 1992. 7. 6

수　　신 : 장　관
참　　조 : 통상국장, 중동아프리카국장
제　　목 : '93 KOTRA 해외 전시사업

<table>
<tr><td rowspan="2">선</td><td></td><td></td><td rowspan="2">지 시</td><td></td></tr>
<tr><td rowspan="2">접수</td><td>일자
시간</td><td></td><td></td></tr>
<tr><td>번호 38352</td><td></td><td rowspan="2">결재·공람</td><td></td></tr>
<tr><td>처리과</td><td></td><td></td></tr>
<tr><td>담당자</td><td></td><td></td></tr>
</table>

대 : 통일 2065 - 308

대호건에 대하여 아래와같이 보고합니다.

- 아　래 -

국　가	박람회명	추 천 사 유
쿠 웨 이 브	KUWAIT INTERNATIO - NAL TRADE FAIR	쿠웨이브의 연간 총수입액중 우리나라로부터 수입한 상품량이 5 - 6위를 차지하고 있음으로 동박람회 참가는 우리상품의 대쿠웨이브수출을 더욱 증대시킬수있는 계기가됨 것임.
쿠 웨 이 브	KUWAIT INTERNATIO - NAL TOURIST SHOW	상세정보 수집후 재건의

주 쿠 웨 이 브 대 사

0077

외 무 부

종 별 :

번 호 : KUW-0395 　　　　　　　　일 시 : 92 0709 1400

수 신 : 장관(봉삼,중동일)

발 신 : 주쿠웨이트대사

제 목 : 수입관세 부과(자료응신 제92-26호)

　　　연:KUW-208

　　1.쿠웨이트 정부는 수입관세 면제기간(92.6.30)이 종료됨에 따라 92.7.1부터모든 수입물품에 대하여 4프로의 관세를 부과키로 하였음.

　　2.보호관세 대상인 56개 품목에 대해서는 과거10-30프로의 수입관세를 부과하여왔으나, 92.12.30 까지 4프로의 수입세만을 부과하고,국내 제조산업의 생산활동진전에따라 품목에 따라 4프로 부과기간 연장을 검토하도록 조치함.

　　3.상기 관세 부과조치가 우리 상품의 대쿠웨이트 수출에는 아래와같은 이유로단기적으로는 큰영향을 주지않을것으로 보임.

　　　1)수입세 부과 부활을 예상하여 필요물량이 통관되었고,

　　　2)산업보호대상 품목에도 4프로의 기본관세율만 적용되고,-우리 대쿠웨이트 수출주종상품인 전자,전기,차량및 직물류는 기본관세율 부과 대상품목

　　　3)쿠웨이트 제조산업 정상화에는 1-2년 기간소요예상.끝

　　(대사소병용-국장)

―――――――――――――――――――――――――――――――――――――

통상국　　중아국　　안기부

0078

외 무 부

110-760 서울 종로구 세종로 77번지 전화/(02)725-0788 FAX/(02)725-1737

문서번호 통일 2065- 433

시행일자 1992. 7. 18. (   )

(경유)

수신 경찰청장

참조 외사부장

취급		장 관
보존		
국 장	전 결	
심의관		
과 장		
기안	홍 영 기	협조

제목 쿠웨이트 상사분쟁

1. 주쿠웨이트 ~~아국공관~~ 대사관 에서는 아래 내용과 같이 쿠웨이트 SADEER TRADING CONSTRUCTION 과의 상거래 계약을 이행치 않은 아국인 정세진(서단건업 사장)의 국내 소재 확인 및 본 건 해결 요청을 하여왔습니다.

2. 본 건은 소액이기는 하나 우리의 대 쿠웨이트 수출에 적지아니한 악영향을 미칠 우려가 있는바, 본 건이 조속 종결될 수 있도록 적극적인 협조를 바라며 조치 결과를 당부에 가능한한 속히 알려주시기 바랍니다.

                    - 아   래 -

  o 쿠웨이트의 SADEER TRADING CONSTRUCTION 회사가 1991.10.에 건축 내장재
    수입을 위하여 $16,141.60 신용장을 열었음. 상대는 서단건업 주식회사
    (전화 : 02-236-4549, FAX : 02-234-6375, 주소 : 중구 신당5동 122-4,
    사장 정세진씨) 임.

  o 서단은 91.10.28에 물건을 선적했는데 이때 $5,640.00어치 GALV CORNER
    BEADS 와 CONTROL JOINT 를 싣지 아니했음.

  o 서단은 위사실을 인정하고 (92.3.12 서한) "한번 더 물건을 주문하면, 그
    물건 선적할때 위의 미선적 물건도 보내주겠다"고 했음.

  o 수입자는 이에따라 92.3.23에 다시 $12,614.50신용장을 개설했음.

  o 선적약속 일자는 92.5.20인데 6월 초순에 선적 날짜가 늦어지겠으니 L/C

0079

를 6.30까지 연장해 달라고 수입자에게 FAX로 요청했음.

o 현재 서단건업과의 전화연락은 두절된 상태이며, 정세진 사장은 잠적한 것으로 추정됨. 끝.

0080

EMBASSY OF THE REPUBLIC OF KORLA
KUWAIT

수   신 : 중동아프리카국 최상덕 국장님

         FAX : 02 - 720 - 2686

발   신 : 주쿠웨이트 대사소 병용

         FAX : 2531816

제   목 : 업무연락

     전화로 의논드린일 관련 문서들입니다. 가능한

덕로 잘 도와주시기 바랍니다.

첨   부 : 서류 2벌. 끝.

0081

FAX 751-7081 (92.7.21)

수　신 : 대한항공 조중건 사장님 Tel 751-7114
　　　　FAX : 02 - 755 - 5220

751-7065 이홍희 상부

발　신 : 주 쿠웨이트 대사 소병용
　　　　FAX : 2531816

제　목 : KAL AGENT / DAMASCUS / Mr. Shallah

1. 오랫간만에 문안합니다.

2. 최근에 다마스커스에 갔을때 그곳의 KAL 대리인 F.R. Shallah를 만났습니다.

3. 그는 다마스커스에서의 KAL 영업진흥책을 KAL 본사의 "결정권있는 지위의 인사"와 만나 의논하고 싶은데, 그럴 기회가 없었다고 하고, 7월 25일쯤에 서울에 가는데, 그때 사장님을 만나뵐 수 있기 바라며, 아니면 담당 이사님을 뵙기바란다고 하고, 제게 주선해 달랬습니다.

4. 시리아도 차츰 경제활동을 대외개방쪽으로 옮겨가고 있고, 훌륭한 관광자원이 있어서 항공여객 수요도 장차 높아날 것으로 생각합니다. Shallah 씨한테서 이기간 시장전망과 영업진흥을 위한 방책건의를 듣는 것은 도움이 될 수 있다고 생각되어 권유해드리니 그가 방한하면 책임있는 이사한분이 만주게해 주선으면 좋겠습니다. 사정이 어떠한지 알려주시면 고맙겠습니다.

5. 내내 건승 까시기 빕니다. 끝.

소병용 대사 께서 보신
- 니신에 감사
- 이홍희 상무이사서
- 방한시 상의 예정
FAX 715-2896
Tel 751-7005
이홍희 상부

0082

EMBASSY OF THE REPUBLIC OF KOREA
KUWAIT

수   신 : 금호타이어 박삼구 사장님   923-1369
　　　　 FAX : 02 - 758 - 8010

발   신 : 주 쿠웨이트 대사 소병용 (FAX : 2531816)

제   목 : 시리아에 대한 수출 진흥

(오른쪽 여백 수기)
피.758-1003 신병인 전무 한테 인임
- 쿠웨이트 대사 에게 회신
- 7.25 방한시 면담 예정
- FAX 사본 외리 에게 보낼 예정

(오른쪽 수기) 잠 왕양조사장

1. 최근 다마스커스에 갔을때 금호타이어 대리인 F.R. Shallah 를 만났습니다.

2. 그는 금호타이어(Marshal)를 시리아에서 파는데 다음과같은 어려움을 이야기했습니다.

　　가. 수출가격 변동(인상)이 너무잦다. 6달은 가격이 유지되어야겠는데, 실상은 2달이 멀다고 인상된다.

　　나. 선적이 제때에 되지않는 일이 많다.

　　다. 광고를 안는다.

　　마. 시리아시장 공략방책을 의논하기 위하여 금호타이어에 여러차례 건의도 하고 서울가서 회사의 "결정권 있는 분들"을 만나고자 했으나 번번히 창구실무자들만 만날 수 밖에 없었다.

3. 우리생각으로는 시리아정부가 차츰 대외무역(수입)을 개방하는 쪽으로 정책을 전환해 가고 있고 자동차수입도 늘리고 있어서, 타이어시장도 확장될 것으로 생각됩니다. Shallah 씨와 말만듣고 판단하기는 어려우나 가령 선적, 광고라던지 "결정권 있는 분들"과의 면담이라든지 하는 일은 그 어려움을 짐작할 수 있는 것들이라고 생각됩니다. Shallah 씨가 7월 25일쯤에 서울에 간다니 그때 가능하다면 사장님께서 한번 만나서 형편을 들어 보시면 장차 시리아사업에 피차 도움이 될 것으로 여겨집니다. 그점 형편이 되는지 회신 답변주시면 고맙겠습니다. 끝.

0083

발 신 전 보

	분류번호	보존기간

번 호 : WKU-0212   920723 1033 WH   종별 : 지급

수 신 : 주   쿠웨이트   대사.~~총영사~~

발 신 : 장 관   (통일)

제 목 : 서단건업 관련 클레임

대 : 주쿠웨이트(경) 20300 - 214

1. 대호, 관할 세무서와 경찰서를 통하여 조사해본바, 서단건업은 '90년 사업자
   등록후 '90년 1,700만원, '91년 1,000만원의 결손을 냈고, 현재 폐업신고를
   하지는 않았으나 최근에는 사장 정세진 혼자 사업을 운영하다 현재 본인 역시
   잠적중임.

2. 현재 사업소 관할 성동경찰서와 주소지(Tel : 332-9859) 관할 마포경찰서의
   협조를 얻어 계속 ~정세진의~ 소재를 추적중인바, 대호로청기에 따라 결과는추보 위계임.

(통상국장 김 용 규)

		보 안 통 제	
			외신과통제

앙고재	기안자 성명	과 장	국 장	차 관	장 관
92년 7월 23일 통1과	홍	代	전결		代

0084

발 신 전 보

	분류번호	보존기간

번 · 호 : WKU-0213   920723 1140 WG   종별: 지 급

수 · 신 : 주   쿠웨이트   대사. ~~초영삼~~

발 · 신 : 장   관   (통일)

제 · 목 : 서단건업 수출계약 이행

대 : 주쿠웨이트(경) 20300 - 214

연 : WKU - 0212

1. 연호, 서단건업 정세진 은 7.23 전화로 쿠웨이트 SADEER사와의 수출계약을 이행
   하겠다고 알려온바, 7.25 발 8.15 쿠웨이트항 도착예정인 영청해운소속 Oriental
   Bay호로 계약물품을 운송할 예정이라 함.

2. 정세진에 따르면, 그간 서단건업은 건자재 생산사로 등록되어 있었으나 자체
   공장을 갖지 못하고 하청만을 주어 오다가 최근 강원도 정성군 광공단지 입주
   계획관계로 장기간 자리를 비웠다고 함.

3. 상기 정세진의 계약이행 약속을 (아직) 전적으로 신뢰하기는 어렵다고 판단되는바, 계약
   물품 도착시 결과 보고 바람. 끝.

(통상국장 김 용 규)

		기안자 성명		과 장	국 장	차 관	장 관	보 안 통 제	
앙 고 재	년월일	과							

외신과통제

0085

발 신 전 보

	분류번호	보존기간

번   호 :   WKU-0218   920728 1613 FY   종별 : _____

수   신 : 주 쿠웨이트   대사. *충영씨*

발   신 : 장 관   (중동아프리카국장 최상덕)

제   목 : 업 연

1. 대사님께서 최근 보내주신 FAX와 관련, KAL 및 금호 타이어측과 SHALLAH씨와의 면담이 가능하도록 조치하였으나, 7.25.경 방한 예정인 동인이 상금 도착하지 않고 있음을 참고로 알려드립니다.

2. 유엔으로의 전보를 축하드리며 건승기원합니다.   끝.

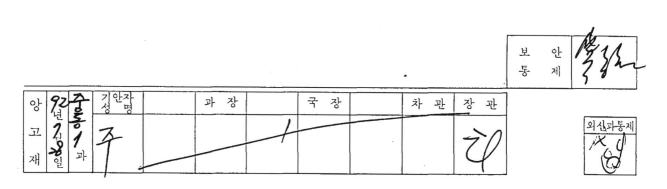

TO: 외무부 중동1과
ATTN: 김동억 서기관
FROM: ㅇㅇㅇ호 수출1부 중동 GROUP
RE: ㅇㅇㅇㅇ항 서신

	Charger	Sec. Chief	Dept. Mgr.	Dir.	

071795

재송부 ㅣ 7╱28

첨부해 드리는 것과 같이 당사에서
駐 KUWAIT 大使님께 서신 송부하시니 참조 바랍니다.

1992. 7. 28

김 병 희

중동 GROUP 長

0087

KUMHO

株式會社 錦湖

서울·중구 회현동2가15-1(아시아극장)
홍일사서함 4585
CABLE: "KUMHO" SEOUL
TELEX: "KUMHO" K27321, K24497
FAX (02)758-1515, 1516 KUMHO.NG.
TEL (02)758-1114, 755-8114

受 信 : 駐쿠웨이트 大使 소 병 용
發 信 : (株) 錦 湖
題 目 : 弊社 시리아 市場 開拓 方案

　　귀대사께서 보내주신 서한받고 어려운 환경에서도 국가를 위해 여러 가지로
애쓰고 계신 대사님께서 우리 나라 신시장 개척을 위해 여러 가지로 노력하고 게시고
관심을 갖고 계신 점에 대해 치하드리며, 무엇보다 시리아라는 시장과 관련 폐사의
일개 거래인과 만나주시고 여러 가지로 관심 표명 해주신 점에 대해 진심으로 감사를
드립니다.

　　현재 폐사에서도 동시장의 시장 개방화 추진과정에 대해 지대한 관심과 그 향방
에 대해서 폐사에서 동원 가능한 모든 방법, 이를테면 동국 관련 지사인 폐사 카이로
지사장의 동국 정기 방문이나 현지에 있는 문제의 MR. SHALLAH 이외에 다른 폐사의
거래선으로부터 정기적인 시장 정보 요청, 또 접촉 가능한 시리아 시장 내의 TYRE
구매 의뢰인과의 상담 등을 통해 지속적으로 접검하고 있습니다.　이에 근거한 폐사
의 동국 시장 개척안을 다 설명드릴 수는 없겠으나 간단히 정리해 드리자면 다음과
같습니다.

　　현재 폐사와 거래를 지속해 왔던 기존 거래선의 시장 활동 능력 재평가와 이에
따른 신규 거래선의 발굴 및 거래 관계 수립, 시장 상황에 맞는 가격 설정과 신축성
있는 가격 조정과 합께 폐사 제품 IMAGE에 맞는 가격선 유지와 정착, 그간 지속적인
문제로서 대두되어온 동국향 불량의 선적 지연을 해결하기 위한 해운사와의 협조 요청,
신시장에 맞는 광고 정책 수립 등 다양하게 연구하고 있습니다.　자신하건대 현재 폐사
에서 수립하고 있는 동국향 정책은 폐사의 실정과 폐사의 세계 전시장 속에서 폐사 제품
일류화를 계획하고 있는 종합 정책과 조화를 이뤄 최고의 것이되리라 확신하고 있습니다.

　　이런 당사의 계획에 맞춰 현재 폐사에서는 대사님께서 만나셨넌 MR. SHALLA의 시장
활동 능력을 부정적으로 평가하고 있습니다.　신시장 내에서의 활동 능력은 타국과의
경쟁 및 시장 선점에의 필요성에 따른 거래인 자신의 과감한 투자 의지와 폐사의 시장
정책에 호응할 줄 알면서 때론 자신들의 현재적 요구를 인내할 줄 아는 자제력, 또 시장
내에서 자신들의 입지를 세우기 위한 시장에서의 근면한 활동, 특히 TYRE의 경우에는
시장에서 발바닥으로 뛴다는 말로 표현되는 적극적인 대소비자 접촉 활동 등이 요구되는데
동거래선 경우는 폐사에 매우 실망을 주고 있습니다.

　　따라서 폐사에선 당사의 신시장 개척에 따른 능력을 겸비한 거래선의 발굴 의사를
갖고 시리아 시장을 관찰하고 있는 중이기도 합니다.　이와 같은 입장에서 동거래선이
대사님께 드린 의견들이 어떠한 것이었는지 확인할 수는 없으나 폐사와 동거래선의 관계
에 대해 결코 긍정적으로 거론되지는 않았을 것으로 생각됩니다.　그러나 앞서 말씀드린
바와 같이 폐사의 시리아 시장에 대한 자세는 새로운 시장에 한국의 이름과 폐사의 이름을
심는다는 사명감과 성공에 대한 자신감을 갖고 임하고 있음을 알려드리고 싶습니다.

0088

株式會社 錦湖
서울·중구 회현동2가10·1(아시아나빌딩)
우편사서함 4585
CABLE:"KUMHOINC"SEOUL
TELEX:"KUMHO" K2732", K2497
FAX (02)*58-15:5 1518 KUNHOINC.
TEL (02) 58-1114, 758-8114

 참고적으로 현재 폐사의 윤양중 사장님께서는 전세계 폐사의 법인과 지사 순방 중이라 동거래선과의 개별적 접촉은 어려울 뿐더러 각국 거래선과의 접촉은 폐사 경영 정책에 맞춰 각지역 담당자들이 있어 이들이 성실하게 업무를 수행하고 있습니다. 따라서 동거래선이 대사님께서 요청했으리라 생각되는 사장님과의 접견은 불가능합니다. 이런 점 대사님께서 이해해 주시기 바라며, 동거래선과는 폐사의 담당자들이 다시 접촉하여 대사님을 번거롭게 해드리는 일이 없도록 처리하겠습니다.

 다시 한 번 대사님의 노고와 폐사의 활동에 대해 관심을 갖고 계신 점에 대해 진심으로 감사드리고 대사님의 건강을 기원하며 이만 줄이겠습니다.

1992년 7월 20일

김 진 민 배서

(주) 금 호 / 수출부장

0089

발 신 전 보

	분류번호	보존기간

번 호 : WKU-0222   920729 1824 FO   종별 :

수 신 : 주 쿠웨이트 대사. ♣♣♣♣♣

발 신 : 장 관 (통일)

제 목 : 서단건업 수출 계약 이행

대 : 주쿠웨이트(경) 20300 - 214

연 : WKU - 0213

1. 연호, 영청해운측에 문의한바, 8.26 쿠웨이트항 도착예정으로 7.28 출항한
    Oriental Boy 호에는 Sadeer사앞 서단건업 발송의 GALV STEEL SECTION이 선적
    되었다함.

2. 정세진에 따르면 동 선적 사실은 FAX를 통해 Sadeer에 기전달 ~~되었음.~~
    하였으며, Sadeer 측으로부터도 동 fax를 받았다는
    회신이 있었다함. 끝   (통상국장 김 용 규)

	보안통제	乃

앙고재	기안자성명	과 장	국 장	차 관	장 관	외신과통제

0090

건 설 부

우 427-760　경기 과천 중앙 1　/　전화 (02) 503 - 7398 / 전승 503 - 7409

문서번호　해건 30600-218

시행일자　1992.8.31

선결			지시	사본→각공란
접수	일자 시간	92.9.2	결재·공람	
	번호	31563		02
	처리과	최1		
	담당자	金		

받음　외무부장관

참조　아중동국장

제목　수주활동중 공사(입찰참여 예정공사) 사전검토

　　1. 최근 유엔의 대리비아 경제제재 조치 연장결의, 미국의 대이라크 비행금지구역 설정에 따른 긴장고조, 이라크의 쿠웨이트 탈환천명과 중동회담등 중동지역의 정정이 급변하고, 수주에 따른 위험이 상존하고 있으나, 근로자 안전, 재원 및 공사비 수령등 공사에 관한 정보부족으로 원할한 도급허가업무 처리가 곤란한 실정입니다.

　　2. 득히, 정정이 불안한 이라크, 쿠웨이트, 리비아등 3개국에서 발주되는 공사에 대하여 수주에 따른 위험도 축소, 근로자 안전 등을 위해 해당공관장의 의견을 반영, 보다 신중하고 현지상황에 맞는 도급허가업무를 수행코자 입찰에 참여하고자 하는 우리업체에게 수주활동 상황을 해당 공관장에게 보고토록 붙임과같이 지시하였는바,

　　3. 귀부에서는 해당 공관장으로 하여금 우리업체가 보고한 수주활동 상황을 검토한 후, 그 의견을 사전에　당부에 보고토록 조치하여 주시기 바랍니다.

붙임 : 해외건설협회에 보낸 공문사본 1부.

건　설　부　장

　　　　　건설경제국장　　전결

0091

건　설　부

우　427-760　경기 과천 중앙 1　/　전화 (02) 503 - 7398　/　전송　503 - 7409

문서번호　해건 30600-218

시행일자　1992.8.31

받음　해외건설협회장

참조

선결			지시		
접	일자시간	． ．	결재·공람		
수	번호				
	처리과				
	담당자				

제목　수주활동중 공사(입찰참여 예정공사) 사전검토

　　1. 최근 유엔의 대리비아 경제제재 조치 연장결의, 미국의 대이라크 비행금지구역 설정에 따른 긴장고조, 이라크의 쿠웨이트 탈환천명과 중동회담등 중동지역의 정정이 급변하고, 수주에 따른 위험이 상존하고 있어, 정정이 불안한 이라크, 쿠웨이트, 리비아등 3개국에서 발주되는 공사에 대하여 현지 공관장의 의견이 반영되도록 붙임과 같이 지시하였는 바,

　　2. 귀협회에서는 앞으로 입찰에 참여하고자 하는 우리업체로 하여금 해당공관장에게 수주 활동상황을 보고토록 조치하여 주시고,

　　3. 우리부에서는 수주에 따른 위험도 축소, 근로자 안전 등을 위하여 보다 신중하고 현지 상황에 맞는 도급허가업무를 처리코자 하니, 향후 중동지역의 정정이 안정될 때까지 귀협회에서는 도급허가시(이라크, 쿠웨이트, 리비아등 3개국) 사전에 우리부와 협의 하시기 바랍니다.

붙임 : 외무부에 보낸 공문사본 1부. 끝.

건　설　부　장　관

0092

외 무 부

종 별 :

번 호 : KUW-0511   일 시 : 92 0902 1400

수 신 : 장관(봉일,중동일 사본:이종무대사)

발 신 : 주쿠웨이트대사대리

제 목 : 93 쿠웨이트 국박참가건의

연:쿠웨이트(경) 720-95

쿠웨이트(경) 2065-216

1. 93.2. 쿠웨이트는 국제박람회(KUWAIT INT'L TRADEFAIR)를 개최할 예정이고, 연호로 우리업체의 참가를 건의한바 있는데, 이곳 코트라 주재원에따르면 코트라는 이박람회에 참가하기를 희망하는 우리업체가 없기때문에 우리의 참가계획을 취소하였다고함.

2. 우리업체들이 참가를 원하지 않은것은 쿠웨이트경제상황이 좋지않아 상품수출전망이없고, 지역정세가 불안하기 때문이라고함.

3. 쿠웨이트 정부는 이 박람회를 통해서 전후국가경제 부흥상을 대외적으로 선전하고자하는 정치적 필요성때문에 이를 정책사업으로선정, 많은 국가의 참석을 희망하고 있으며, 92.12부터는 산유량이 150만 BPD 에 이르게 되어재정수입도 전전수준에 이를 것임으로 경제사정이 점차 좋아질 전망이고, 이라크의 현정권과의 갈등때문에 지역정세 가 다소 불안한 것은사실이나 제반사정을 고려할때 90년과 같은사태는 재발되지않을 것으로 평가됨.

4. 쿠웨이트 입장에서 볼때 우리나라는 매년 3-5위를차지하는 수입대상국임. 전후이순위가 약간떨어졌는데 타국에 비해 우리상품의 PROMOTION활동이 부진했기 때문인것으로 평가되고있음. 쿠웨이트로서는 한국이 매우 중요한경제봉상 파트너임.

5. 쿠웨이트는 93 대전 엑스포 참가를 결정하였지만, 쿠웨이트 정부가 쿠웨이트국제 박람회에 거는 정치적 기대를 고려해볼때 우리가 이에 불참할 경우 대전 엑스포 참가 결정을 번복할 우려가 있음.

6. 전술한 제반사정으로 보아 우리가 반드시 참가해야함이 요청되는데

통상국   중아국 .

소수업체만이라도 참가할수 있도록 독려하고 이를 지원해줄것을 건의함.

7. 당관이 파악한 바로는 현재 42개국이 참가할예정임. 끝

(대사대리 온중열-국장)

외 무 부

110-760 서울 종로구 세종로 77번지 전화/(02)725-0788 FAX/(02)725-1737

문서번호 통일 2065- 542

시행일자 1992. 9. 4. (   )

(경유)

수신 상공부장관
    (사본:대한무역진흥공사장)

참조

취급		장 관	
보존			
국 장	전 결		
심의관			
과 장			
기안	홍 영 기		협조

제목 '93 쿠웨이트 국제박람회 참가

관련 : 쿠웨이트(경) 720 - 56

1. 쿠웨이트 정부는 '93.2. 쿠웨이트 국제박람회(KUWAIT INT'L TRADE FAIR)를 개최할 계획인바, 동 박람회를 전후 국가 경제 부흥상을 선전하기 위한 정책사업으로 선정하고 아국을 포함한 다수 국가의 참가를 희망하고 있습니다.

2. 연이나 아국의 경우 아국업체들의 참여가 미약하여 동 박람회 참가가 취소 되었다고 하는바, 귀부에서는 쿠웨이트의 경제 상황이 호전되고 있고(일일 산유량이 92.12부터는 150만 배럴에 이를 전망), 걸프전후 아국상품 수출이 타국에 비해 부진 한점을 감안, 아국업체들의 동 박람회 참가를 적극 유도, 지원하여 주시고 그 결과를 당부로 회보하여 주시기 바랍니다.

3. 대한무역진흥공사의 해외전시 사업예산상의 제약으로 동 공사 기획의 박람회 참가가 어려울 경우에는, 자체 참가능력을 갖춘 대기업측의 개별 참가를 적극 유도하여 주시기 바랍니다.

4. 쿠웨이트는 93 대전 EXPO 참가를 결정하였지만, 쿠웨이트정부가 쿠웨이트 국제박람회에 거는 정치적 기대를 고려할때, 우리가 이에 불참할 경우 대전 EXPO참가 결정을 번복할 우려가 있다는 주쿠웨이트 대사의 보고가 있었음을 참고로 첨언 합니다.

5. 동 박람회 연락처는 다음과 같은바 참고 바랍니다.
    Bill Oakdon, Hilal Gulf Exhibitions
    Po Box 224 Manama, Bahrain
    Tel : 293221   Fax : 293400.   끝.

0095

외 무 부

종 별 :

번 호 : KUW-0535

일 시 : 92 0917 1300

수 신 : 장관(오행겸 심의관)

발 신 : 주쿠웨이트대사

제 목 : 엄연

다음전문을 박경화 KOTRA 시장개발 본부장 에게 전달하여 주시기바랍니다.
'93년도 쿠웨이트 박람회에 우리나라 기업이 필히 참가토록 협조하여 주시면
감사 하겠읍니다.동건에 관하여는 출국전 김철수 사장께 각별히 부탁하여
두었음을 참고로 알려 드립니다.기회가 오면 만나뵙기 희망합니다.
건승을 기원합니다'.끝

기획실

92.09.17   20:32 DZ

외신 1과 통제관

0096

발 신 전 보

WKU-0287   920920 1425 FQ

분류번호	보존기간

번 호 :   종별 :

수 신 : 주   쿠웨이트   대사. ♣♣♣♣ 이종무 대사님

발 신 : 장 관   (통일)

제 목 : 업연

　　　1. 보내주신 박경화 시장개발본부장앞 전문은 금 9.19 오전 FAX편으로 전달하였습니다.

　　　2. 금일 제가 직접 동본부장에게 전화하여 최대한의 선처를 당부하였습니다. 동인의 의하면 93년도 전시계획은 이미 확정되었고 쿠웨이트는 이에 포함되어 있지 않으므로 코트라 주관 참가는 어려운 상태이기 때문에 각업계를 권유해서 쿠웨이트 무역관을 중심으로 개별 참가하는 방향으로 최대한 노력하겠다고 합니다.

　　　3. 김철수 사장님으로부터도 동인에게 당부가 계셨다는 점을 확인하였습니다.

　　　4. 지난번 대사님 출국시에는 공항출영을 하려하였으나 교통체증으로 인해 (종합청사에서 공항까지 2시간이상 소요) 뵙지 못해 결례를 하였음을 헤량하시기 바랍니다.

　　　　　　　　　　　　　　　　　(통상국 오 행겸)

		보 안	홍
		통 제	

앙고재	92년9월19일 통상1과	기안자명	과 장 심의만	국 장	차 관	장 관	외신과통제

주 쿠 웨 이 트 대 사 관

문서번호 : 주 쿠웨이트(경)10200 -284

시행일자 : 1992. 9. 28

수　　신 : 장　　관

사　　본 : 건설부 장관

참　　조 : 중동아프리카국장, 국제경제국장

제　　목 : 전후 쿠웨이트 공사발주 현황

선결			지시	
접수	일자시간		결재 : 공람	
	번호 **54577**			
처리과				
담당자				

　　　　쿠웨이트 정부등 관계기관이 전후 복구사업과 관련하여 발주한 공사내역을
별첨으로 보고합니다.

첨　　부 : 전후 쿠웨이트 공사발주 내역. 끝

주　쿠　웨　이　트　대　사

0098

Date	Project	Contractor	Amount
April /1991	Overseeing directional drilling on relief wells as part of the well fire control programme.	Eastman Christensen (US)	Amount not stated
"	Supplying 405 vehicles	Land Rover (UK)	$14 Million
May / 1991	Carrying out water well drilling	Al-Mansoori Specialised Engineering (UAE)	$10 Million
"	Providing cleaning & solid waste removal services	Waste Management (US)	$12 Million (Annually)
June / 1991	Executive additional work for emergency reconstruction	US Army Corps of Engineers (USACE)	$141.8 Million
"	Fighting oil-well fires	National Iranian Oil Company (NIOC)	$100 Million
July / 1991	Rebuilding the education system	Ja Jones Construction Company (US)	$100 Million
"	Rebuilding housing and services on Failaka island	Arab Contractors (Osman Ahmed Osman & Company) - Arab Bureau and Sabbour Associates (All Egypt)	Amount not stated
Aug / 1991	Refurbishing three residence blocks at the Bayan Palace Complex	Ahmadiah Trading & Contracting (LOCAL)	$25 Million

Date	Project	Contractor	Amount
Aug /1991	Fighting fires and capping oil wells	Horwell (France)	$25 Million
Sept/1991	Repairing the National Assembly Building	Mohamed Abdul Mohsin Kharafi (Local)	$19.5 Million
"	Capping Oil-Well fires in the Northen Sabriya and Bahra Oil Fields	Kuwait British Fire Group (KBFG)	$83.7 Million
Oct /1991	Putting out Oil-Well fires North of Kuwait city over six months	Avellaneda Group (Argentina)	$25 Million
"	Eight contracts to repair overhead transmission lines	Saudi Cable Company (Saudi Arabia)	$40 Million
"	Supplying two Gantry-Cranes for Shuwaikh Port.	Reggiane-Officine Meccaniche Italianne (Italy)	$11.8 Million
Nov /1991	Disposing of Mines	CMS (Conventional Munitions Systems-US)	$134 Million
"	Providing Mechanical Maintenance Services for Mina Abdullah and Mina Al-Ahmadi Oil Refineries	Kuwait Industrial Refinery Maintenance & Engineering Company (Kremenco - Local)	Amount not stated
"	Clearing Mines	Bimpas (Turkey)	$41.5 Million

Date	Project	Contractor	Amount
Dec /1992	Disposing of explosive ordance between Kuwait city and the Saudi Arabian border	Societe Francaise D'Exportation du Minist- ere de L'Interieur (Sofremi-France)	$110.9 Million
Jan /1992	Carrying out emergency restoration of the Ahmad Al-Jaber Airbase	Morrison-Knudsen Corporat- ion (UK) & Mohamed Abdul Mohsen Kharafi (Local)	$24.1 Million
Feb /1992	Supplying 100 buses and spare parts to replace vehicles removed during the Iraqi Invasion	Ashok Leyland (India)	$15 Million
Mar /1992	Project Management for the reconstruction of the country's three local refineries	Foster Wheeler (US)	$47 Million
Apr /1992	Roads Maintenance in Hawalli and Ahmadi governorates	Al-Faiha General Contrac- ting Company (local)	$20.2 Million
"	Roads Maintenance in the Capital, Jahra and Farwaniya governorates	Combined Group Company (Local)	$20.2 Million
May /1992	Al-Tameer Project	C B I (USA)	$75 Million
"	Storage Tank	Takfen (Turkey)	$25 Million
"	United Fisheries of Kuwait (UFK) Fishing Boats	Bender (USA)	$10 Million

Date	Project	Contractor	Amount
June/1992	Coast Guard Boats	A.S.C. (Australia)	$13 Million

주 쿠 웨 이 트 대 사 관

문서번호 : 주 쿠웨이트(경)10200 -285

시행일자 : 1992. 9. 28

수   신 : 장   관

참   조 : 국제경제국장, 중동아프리카국장

제   목 : 중국인력고용에 관한 의견회신

선결			지시	
접수	일자 시간	**54579**	결재 .. 공	그∕
	번호			
처리과			람	
담당자				

기록요지

　　　쿠웨이트 시내 간선도로 공사를 하고 있는 현대건설(주)이 중국인력 고용
에 대한 당관의견을 문의해 왔기에 별첨과 같이 회신하였음을 보고합니다.

첩   부 : 중국인력 고용에 관한 의견회신. 끝

주 쿠 웨 이 트

0103

주 쿠 웨 이 트 대 사 관

문서번호 : 주 쿠웨이트(경)10200-276

시행일자 : 1992. 9. 28

선결			지시	
접수	일자시간		결재∴공람	
	번호			
처리과				
담당자				

수　　신 : 현대건설 대표이사

참　　조 :

제　　목 : 중국인력 고용에 관한 의견회시

대 : HKT - 209(92. 9. 24)

　　　1.　귀사가 쿠웨이트 시내도로 확장공사를 실시함에 있어 중국인 근로자를 고용하고자 하는데 대하여 당 대사관으로서는 이의 없음을 통보합니다.

　　　2.　그러나 중국이 공산국가임을 감안하여 중국인 근로자 고용에 따를 수도 있는 보안 대책을 강구하여 주시기 바랍니다.　끝

주 쿠 웨 이 트 대 사

0104

HYUNDAI ENGINEERING & CONSTRUCTION CO., LTD.

P. O. Box 24314 Safat
Safat 13104 KUWAIT
Fax : 5623965

TEL. : 5650529 / 5650654 / 5650217
                        5650902 / 5623965
TLX. : 44716/22794/46287 HYDKWT

TO : 주 쿠웨이트 대한민국 대사   REF. NO. : HKT - 209   DATE : 1992.9.24

THRU : 건 설 관   COPIES TO :

SUBJECT : 중국인력 고용에 관한 자문 의뢰

1. 귀 대사관의 무궁한 발전을 기원합니다.

2. 폐사에서 계약추진중인 KUDO현장의 원만한 공사수행을 위하여 중국인을 고용할

예정인바 중국인 고용에 따른 정부승인과 관련하여 발송된 본사의 공문에 의하면 KUDO현장은

전쟁전의 MIRQAB,KIST의 잔여공사를 이행하는 것으로써 종전(90.5월)에 접수한 정부승인

공문이 유효하다는 건설부 해외건설과의 해석이 있으며 KUWAIT에 주재한 귀 대사관의 OBJ-

ECTION이 없다면 재승인 요청없이 보고형식으로 중국인 고용이 가능하다고 하는바 동건 귀

대사관에 자문을 의뢰하오니 의견주시기 바랍니다.

유 첨 : 1동 관련 중국인력 고용승인(90.5.7) 공문 사본 1부.

    2. " 당사 공문 사본 1부 -끝 -

현 대 건 설 주 식 회 사

K U D O 현장 소장 김 영 환

PAGE NO. _____

HEAD OFFICE : 140-2 KYE-DONG, CHONGRO-KU, SEOUL, KOREA - TLX : K 23111, 23112, 23113, HYUNDAICO SEOUL
        TEL. : 741-2111 ~ 741-3131

0105

걸프사태 : 전후복구사업 참여, 1991-92. 전6권 (V.6 1992)   303

건 설 부

위

해건 30600-10496   (503-7416)   1990. 5. 7.

수신 서울시 종로구 계동 140-2 현대건설(주) 대표이사 이 명 박

제목 중국인력 고용승인

　　　1. 현건 제 해인 90-270호('90.3.15)의 관련입니다.

　　　2. 위호 관련 승인신청건에 대하여는 귀의대로 시행하시되 다음
사항을 유의하여 주시기 바랍니다.

다   음

　　　가. 중국인력에 숙식등 편의시설을 제공키로 되어 있는바, 여타
근로자와 불평등한 대우로 분쟁이 발생하지 않드록 안전관리에 만전을
기할 것.

　　　나. 노사분규, 계약불이행등으로 인한 분쟁 발생시 협의절차 및
협의 결렬시 중재방안을 강구하고 발주처에 등내용 및 협의내용을 통보할 것.

　　　다. 가급적 한국어 구사능력자를 고용하여 효율적 작업관리를
기할 것.

　　　라. 아국근로자에 대하여 사전에 보안교육을 실시하는등 보안대책
에 각별 유의할 것.

건　　설　　부　　장

0106

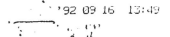

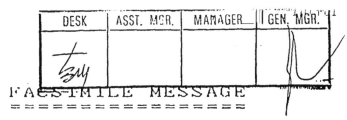

DESK	ASST. MGR.	MANAGER	GEN. MGR.

FACSIMILE MESSAGE
=================================

HYUNDAI ENGINEERING & CONSTRUCTION
CO., LTD.
140-2 KYE-DONG, CHONGRO-GU, SEOUL, KOREA

TEL NO.: (02) 746-2534
TLX NO.: K23111-3 HYUNDAI
FAX NO.: (02) 743-8963

REF. NO : HDEC/FAX-　91143

TO : KWT

ATTN : JJJ

FROM : HYUNDAI ENG.& CONST. CO., LTD.

DATE : SEP 15 '92

CC : KUDO / KUDO-SEL

PAGE : TOTAL　3 PAGE
　　　　(INCLUDING THIS PAGE)

RE　　: KUDO 중국인력 고용 정부승인 件

1. KUDO 현장에 투입예정인 중국인력에 대한 정부 승인 신청 件과
   관련입니다.

   지난 '90년 12월 1일 부터 시행되어온 본국 건설부의 ''중국건설인력
   고용지침''이 한.중수교가 이뤄진 현재에도 종전대로 변동없이
   시행되고 있으나 승인시 까지 소요되는 상당한 LEAD-TIME을 감안하여
   당부에서 본국 건설부(해외건설과)과 접촉, 확인 사항은 아래와
   같음.

   - 당사 접촉사항

   ※ KUDO 현장은 GULF戰으로 중단된 MIRQAB, KIST 현장의 잔여공사를
     재개하는 것으로, 지난 '90년 5월 MIRQAB 현장의 중국인력 고용에
     대하여 해건 30600-10686(90. 5.7)로 정부승인을 이미 받은바
     있으므로 이를 준용하여 중국인력의 KUDO 현장 고용시 현장의
     화급요청을 감안, 재신청없이 고용 가능토록 요청.

   - 건설부(해외건설과) 의견

   ㅇ 한.중 수교후에도 종전과 동일하게 정부 고용 지침에 의거
     중국인력 고용 승인을 받아야하나, MIRQAB 현장에 대해서는
     중국인력 고용을 기 승인하였던 점을 감안하여 공사내용이
     MIRQAB과 다른 공사가 아니고 KUWAIT 주재 아국 대사관에서만
     OBJECTION이 없다면 본국 건설부에서도 재승인 요청없이 보고
     형식으로 고용이 가능할 것이라고 하였음.

   따라서, 귀점에선 아국공관을 접촉하시어 중국인력 고용에 대하여
   기승인(해건 30600-10686(90. 5.7)을 근거로 중국인력을 고용할 수
   있도록 업무 추진바라며 아국 공관의 의견을 즉시 당부로 통보
   바랍니다.

2. 참고로, 1990. 3月 MIRQAB 중국 인력 고용 승인 신청 당시 고용계획과
   KUDO 현장 동원계획과 차이점을 아래와 같이 통보하오니 업무 참조
   바랍니다.

0107

구 분	90年 3月 MIRQAB 동원계획 (기승인 件)	KUDO 현장 동원계획 (MIRQAB+KIST)
기 간	89. 6. 1 - 91. 6.20	92. 8 - 94. 6
금 액	USD 45,566,000	USD 60,362,000
인력공급사	1개사 (FICC)	2개사 (FICC外 1개사 추가)
중국인 고용인원	47명 건 축	188명 토목, 건축 및 일반직종
타국적	한국인 : 96명 태국인 : 443명	한국인 : 78명 방글라 : 320명 (잡부) 태국인 : 146명 (중기운전, 정비) 필리핀 : 34명 (측량, 시험사)
비 고	MIRQAB에서 90. 6月 중국인 46명 투입후 한국인 150명을 추가로 투입 추진 中 GULF戰으로 무산.	중국인은 250명 정도 고용하는 것으로 추진 바람.

유 첨 : 건설부 승인 LTR 해진 30600-10686(90. 5.7) 사본 1부.　　끝.

RGDS / HEIN-S2

0108

종　별 :

번　호 : KUW-0588　　　　　　　　　일　시 : 92 1007 1850

수　신 : 장관(경이,중동일 사본:건설부장관)

발　신 : 주 쿠웨이트 대사

제　목 : 쿠웨이트 복구공사

　　1. 쿠웨이트가 전후 발주한 복구관련 공사건수는 951건인데, 이중 미국이 501건에 50억 불을 수주 하였고, 영국이 151건을 수주함으로써 전후 복구 공사에 있어 미국회사를 우선적으로 고려 하겠다고 한 쿠웨이트 정부의 약속이 지켜졌다고, 10.7자 쿠웨이트 신문들이 보도하였음.

　　2. 향후 5년간에 걸쳐 있게될 3단계 복구 공사액은 200-250억불로 추산되고 있는데, 이중 상당 부분이 미국등 회사에 발주될것으로 예상되고 있음.

　　3. 벡텔등 미국회사는 특히 쿠웨이트 원유및 정유관계 복구공사에 같이 개입, 공사입찰, 낙찰및 감리에 이르는 모든 과정에 관여하고 있음.끝

　　(대사이종무-국장)

경제국　　중아국　　건설부

92.10.08　　08:10 FO

외신 1과　통제관

0109

외 무 부

종 별 :

번 호 : KUW-0618   일 시 : 92 1017 1930

수 신 : 장 관(중동일)

발 신 : 주 쿠웨이트대사

제 목 : 92/93 쿠웨이트 예산

쿠웨이트 정부의 92/93회계년도(1992.7.1-1993.6.30)예산이 10월국무회의에서
확정되었는바,주요내용은 다음과같음.항목별 상세내역은 차파편 송부예정임.

　　1.총예산 규모

　　-세출:40억 KD(138억불)

　　-세입:22.18억 KD(76.5억불)

　　-수지:17.82억 KD(61.5억불) 적자

　　2.주요 사업별 예산 증감내용및 분석

　　가.국방비 부담지속

　　-국방예산은 62억불로 총예산의 45프로 점유

　　나.사회간접부자및 전후복구 예산 소폭증가

　　-총 13.8억불로 전년대비 증가되었으나,전쟁전과비교시 오히려 축소됨.

　　-다.경직성 예산증가

　　-보수및 용역씨비스 비용등 경직성 비용은 30프로증가

　　라.악성부채인수를 위한 예산 9.6억불 배정및민영화 대상기업의 정부지원 삭감.끝
(대사 이종무-국장)

중아국

92.10.18   08:02 FL

외신 1과 통제관

0110

한 국 조 선 공 업 협 회

기 조 922-2010   (766-4631)   1992. 10. 10.

수 신 외무부 장관

제 목 국제입찰 참가승인

　　　　대외 무역관리규정 제7-3-2 조의 규정에 의거 다음과 같이 국제
입찰 참가를 승인하였기 필요한 지원 조치를 취해 주시기 바랍니다.

- 다   음 -

　　　가. 입찰국　　　:　KUWAIT

　　　나. 입찰기관　　:　KUWAIT OIL CO., KUWAIT

　　　다. 입찰일자　　:　1992. 10. 20.

　　　라. 품명및수량　:　PILOT BOAT x 1척
　　　　　　　　　　　　CREW BOAT x 3 척
　　　　　　　　　　　　HARBOUR TUG BOAT x 4척

　　　마. 승인상사명　:　삼성물산(주)

　　　바. 승인사유　　:　단독신청, 단독승인. 끝.

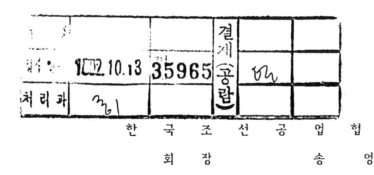

한 국 조 선 공 업 협 회

회 장　　　송 　영　

0111

한 국 조 선 공 업 협 회

기 조 922-2009　　　　　(766-4631)　　　　　1992. 10. 10.

수 신 　외무부 장관

제 목 　국제입찰 참가승인

　　　　대외 무역관리규정 제7-3-2조의 규정에 의거 다음과 같이 국제
입찰 참가를 승인하였기 필요한 지원 조치를 취해 주시기 바랍니다.

- 다　　　　　음 -

　　　가. 입찰국　　　: KUWAIT

　　　나. 입찰기관　　: KUWAIT OIL CO., KUWAIT

　　　다. 입찰일자　　: 1992. 10. 25.

　　　라. 품명및수량　: MOORING BOAT x 4척

　　　마. 승인상사명　: 삼성물산(주)

　　　바. 승인사유　　: 단독신청, 단독승인. 끝.

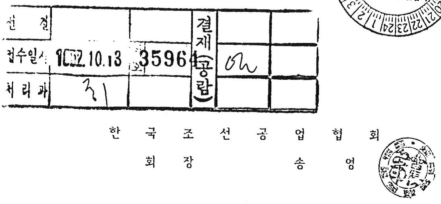

한 국 조 선 공 업 협 회
회 장 　　　송 영

0112

발 신 전 보

	분류번호	보존기간

번 · 호 :　　WUS-4759　　921019 1642　WH　　종별 :

수　신 :　주　미　　　　대사. 총영사.

발　신 :　장　관　(중동일)

제　목 :　자료입수 송부 협조

　　　우리나라의 쿠웨이트 전후 복구사업 참여 활성화대책 수립에 참고코자 하니,
최근 미 상무부가 의회에 제출한 미국의 대쿠웨이트 전후 복구사업 참여에 관한
보고서 (SECOND REPORT TO CONGRESS ON THE REBUILDING OF KUWAIT) 를 입수 송부
바람.　　　　　끝.

　　　　　　　　　　　　　　　　　　　　　　　　　(중동아국장　최상덕)

보 안 통 제	牛씨

앙 고 재	92 년 10 월 19 일	중동 1 과	기안자 성명		과장	심의관	국장	차관	장관		외신과통제

외 무 부

종 별 :

번 호 : KUW-0706

일 시 : 92 1117 1400

수 신 : 장관(중동일)

발 신 : 주쿠웨이트대사

제 목 : 이라크 경제재제 조치해제 건의안

1. 지난 10월 요르단에서 개최된 아랍상공회의소회의는 안보리의 대이라크 경제재제 조치해제건의결의안을 통과시켰는데, 이에 참석한쿠웨이트 상공회의소 부회장등 대표단이 이에찬성하였음.

2. 쿠웨이트 각언론들은 정부와 국회에 진상조사와참석대표들의 처벌을 요구하고있는데 SADOUN국회의장은 진상이 밝혀지는대로적의조치하겠다고 언급하였으나 정부는 이에대해함구하고 있음. 끝

(대사이종무-국장)

중아국

PAGE 1

92.11.17 21:12 FY

외신 1과 통제관 ✓

0114

외　무　부

종　별 :

번　호 : KUW-0710　　　　　　　　　　　　일　시 : 92 1118 1600

수　신 : 장 관(경이,중동일 사본:건설부장관)

발　신 : 주 쿠웨이트 대사

제　목 : 현대건설 도로공사 계약

연:주쿠웨이트(경) 20100-194(92.7.6)

　1. 현대건설은 걸프전으로 중단되었던 쿠웨이트시 1번 순환도로 공사재개를 위한계약에 11.18 AL-ADSANI 공공사업부장관과 함께 서명하였음. 본직이 동계약서명식에참석하였는데, 공기는 서명한 날로부터 23개월임. 이에따라 현대는 11.19 부터 공사를 본격 시작할 예정임.

　2. 전쟁전 총공사 대금은 9,000만불 이었고 전쟁으로 중단된 잔여공사 금액은 4,300만불이었는데, 현대건설은 쿠웨이트 공공사업부와의 협상끝에 39.5프로 인상조정된 6,100만불에 합의하였음. 그후 몇가지 추가사항이 발생하여 금번 계약금액은 7,300만불임.

　3. 현대건설은 이외 지하저수조공사(4,500만불), 송전선 설치공사(8,500만불)등의 수주를 위해 노력하고 있음.끝

　(대사이종무-국장)

종　별 :

번　호 : KUW-0711

수　신 : 장관(경이,중동일 사본:건설부장관)

발　신 : 주쿠웨이트대사

제　목 : 중국고용인력 요청

일　시 : 92 1118 1600

연:KUW-710

1. 연호 현대건설의 도로공사 재개 계약관련, 동공사를 원만히 공기내에 달성하기위해서는 특히 중국인력 고용이 필달성하기위해서는 특히 중국인력 고용이 필요할것으로 보이는데, 이를 곧 승인하여

주실것을 건의함.

2. 중국인력 고용에 따른 보안상의 제반 문제점은 당관 감독하에 적절한 대책을 세우도록 조치하겠음.끝

(대사이종무-국장)

경제국　　중아국　　건설부

92.11.19　　07:36 BD

외신 1과 통제관

0116

외 무 부

종 별 :

번 호 : KUW-0717   일 시 : 92 1121 1400

수 신 : 장 관 (중동일,사본:주유엔대사(본부중계필))

발 신 : 주 쿠웨이트 대사

제 목 : 대 이라크 안보리 경제제재 조치

1. TAREQ AZIZ 이라크 부총리는 이라크가 휴전조건을 이행치 않는다는 이유로 유엔이 이라크에 부과된 경제제재조치를 해제해줄것을 11.23 안보리에요청할 예정이라고함. 동 부총리는 이라크가 그동안 대량 살상무기 제거등 휴전조건을 충분히 이행하였고, 또 이조치로 인해 이라크 국민이 받은고통이 많았다는 것을 이유로 안보리를 설득할것이라고 함.(11.21자 쿠웨이트 언론보도)

2. 이와관련, 쿠웨이트 AL-SHAHEEN 외무차관은 11.19 쿠웨이트 주재안보리 상임이사 국 대사들과 만나이라크는 아직도 대량살상무기를 은익하고있고, 납치해간쿠웨이트인(850명)들을 석방치않고 있으며 전쟁손해를 보상하고있지않는등 휴전조건을 무시하고 있음으로 경제제재 조치는 계속되어야 한다고 강조하였음.

3. 한편,쿠웨이트정부는 또 SHEIKH SAUD문공장관(전주미대사)를 유엔에 파견,이라크의요청을 반박할 예정인데, 안보리는 '유엔 이라크 대량살상무기조사팀'장의증언과 평가를 청취한후 경제제재 조치 해제여부를 결정할것이라고 함.끝

(대사이종무-국장)

중아국

PAGE 1   92.11.22   00:15 DX
                                                  외신 1과 통제관
                                                     0117

외 무 부

종 별 :

번 호 : KUW-0805   일 시 : 92 1227 1400

수 신 : 장관(중동일)

발 신 : 주쿠웨이트대사

제 목 : 쿠웨이트 국영유조선회사 부정사건

　1.쿠웨이트 국영유조선회사(KOTC) 간부직원들이유조선 임대및 구매시 부정을 저질러 공금을횡령하였기때문에 자체조사단을구성,조사중이라고 보도됨.

　2.KOTC 는 한국(대우조선)으로부터 4척의유조선(척당 8,000만불)을 구입하였는데,이에도 부정이 개입되었을 것으로 보고 조사할 예정이라고 보도됨.

　3.이것은 영국 해운업계가 발설함으로써 표면화된것으로 알려지고 있음.끝

　(대사이종무-국장)

중아국

외교문서 비밀해제: 걸프 사태 48
걸프 사태 전후복구사업 참여 2

초판인쇄 2024년 03월 15일
초판발행 2024년 03월 15일

지은이 한국학술정보(주)
펴낸이 채종준
펴낸곳 한국학술정보(주)
주 소 경기도 파주시 회동길 230(문발동)
전 화 031-908-3181(대표)
팩 스 031-908-3189
홈페이지 http://ebook.kstudy.com
E-mail 출판사업부 publish@kstudy.com
등 록 제일산-115호(2000. 6. 19)

ISBN 979-11-7217-010-3 94340
     979-11-6983-960-0 94340 (set)